あの頃のように

遠回りした エレキ小僧

石田 光輝

高校時代「ザ・スカッシュメン」

大阪厚生年金会館大ホール。
このあと解散した。

卒業後加入した「K輪島とタヒチアイランダース」18才。

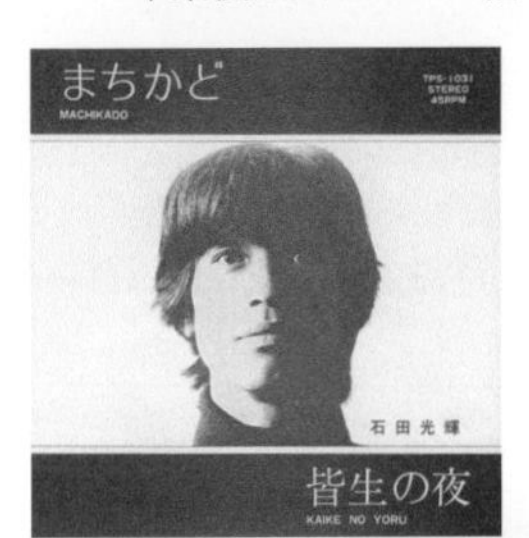

いかにもナイトクラブ歌手時代。

27才。念願のバンドリーダーに。
「石田光輝とNGM」レコードも出した。

30才。作曲家デビュー。「演歌の作曲家らしいカッコしろよ」と言われた。

作曲家になってから、精力的にディナーショーを行うようになる。

作曲賞受賞は常連に。

作曲家協会のパーティ。
チョー大御所がズラリ。

誕生パーティーも
派手になった。

自分のアルバム制作。橋幸夫さんのスタジオにて。

仲良し編曲家・伊戸のりおさんと。

東京での仕事のあとはいつも新宿の居酒屋で悪ノリ。

2000年、ザ・スカッシュメン再結成。

そして、Goz'sとしてまさかのレコーディング

ガンから復活後の
初ステージリハーサル

高校時代のバンド仲間と50歳になって結成した「Goz's」は、ライブ活動を中心に活動して早20年。結成当初、記念盤のつもりで作った曲のタイトルは本書の題名と同じ「あの頃のままに」。

目次

プロローグ

ドンファーマーズ

「おーい石田ァ、練習だぞー」

「オッケー！　すぐ行く」

「コラ、光輝！　学校休んだくせにバンドの練習なんかいくなッ」

母親の大声を無視して俺は飛び出した。

その日三八度の熱があり、学校は休んでいたが、一週間後に控えた学園祭初出演でトリを取るザ・ドンファーマーズのリードギターとしては練習を休むわけにはいかない。

子供の頃からひ弱で、月に一度は風邪をひいて学校を休む子だったが、バンドとなると風邪も吹っ飛んでしまう体質に、この頃からなりかけていた。

どんなに熱があろうと、ギターだけは手放すことがない。練習しながら眠り、ギターを抱いたまま目を覚まして弾き始める。授業中はさすがにギターを持てないので、ひたすらオリジナル曲の作詞作曲に精を出す。声には出さないが、頭の中ではずーっと歌い続けている。当然、授業内容など無視。

大学など毛頭行く気はないし、ギターと歌で食っていくことしか考えてないから、テストの成績などどうでもいいのだ。


トテタトテタツートテト、ブーン……

覚えたての「ブラック・サンド・ビーチ」。カッコいいイントロを弾き始めると、気分は完全に加山雄三だ。しかも今日は、本番用にプロのバンドが貸してくれた50Wのセパレーツアンプだ。どんなに頑張っても高校生が買える代物じゃないし、今まで経験のない音質とボリュームが音楽室に響き渡る。

バターン！　突然ドアが開いた。

「オイ、今の弾いてた奴どいつだ」

先輩バンドだ。

「エーッ石田かあ。校庭まで聴こえてビックリしたぞー。レコードかと思ったあ」

エヘヘ、と笑いながら内心鼻高々だ。

二日間の学園祭で、最後のトリを取るのは三年生と決まっていたから、俺たちはしぶしぶ初日のトリをやることになったので、先輩バンドを見返してやろうぜ、とみんなでこっそり話していたからだ。

他ではそうでもないのだが、ことギターのことになると、謙虚さのかけらもない嫌な奴だった。


で、初日を迎え、まあまあ納得のいく演奏を終えたのだが、胸の中には、もっと上手いメンバーとやりたいな……という気持ちが渦巻いていた。

しかし彼らは小学校・中学校とずっと一緒で、歌手になりたい、という夢をいつも真剣に聞いてくれた仲良しだ。このバンドの結成も、貧しい俺の家を考慮して、何にも言わず自分たちでギターやアンプを買い、知らぬ間に俺の部屋にセットして、「やろうぜ」と俺を迎えてくれた優しい仲間だ。境高校の先輩小野ヤスシさんの「ドンキーカルテット」にちなんで、俺たち田舎のドン百姓と、ドンファァーマーズと名付けた仲間だ。

が、練習を始めて三カ月で、友情では割り切れないほど技術の差は開いていた。それはたぶんメンバーも気付いていていた。

学園祭二日目、午前の部のラストに、知らないバンドがでた。一学年下、一年生のバンドだから「どうせチンタラバンドだろう」と、見るともなしに一番後ろで立ったまま見た。

リードギター。ひどい。なんじゃこりゃ。

サイドギター。ま、こんなもんかな。

ベース。お、結構やるじゃない。

ドラム。上手くはないけど曲をよく理解してるな。

うん、このサイドメン、一人ひとりは大したことないけど、少なくともウチのメンバーよりはよく音がまとまっているなあ。

てことは、このリードギターを外して、俺がチェンジすれば、いいバンドになるぞ。

今まで胸に溜まっていたものが、考える間を与えず、すぐ行動に移させた。

「オイ、お前らのリーダー誰だ」

「特に決まってないけどショージさんは一つ先輩です」

え？　俺と同級？　じゃあ話が早い。

「とりあえずリードギター外して三人集まってくれ」

ショージ、ユキオ、ケンジの三人がやってきた。

「オイ、お前ら俺と組まんか。リードやめさせろや」ストレートに切り出した。

「いいですよ」って意外と簡単に決定。

すぐドンファーマーズのメンバーを集め、

「今日で俺はドンファーマーズを辞めて、さっき演奏してた後輩三人と組む。君たちは君たちだけで楽しんでくれ」みたいなことを一気に言った。

「ええよ、お前は進む道が本気だもんな。俺たちが足引っ張るわけにいかん」

持つべきものは幼なじみ、涙が出そうなフレーズだが、「じゃあな」で解散。

いよいよ新バンドの結成だ。

このバンドを、後に何十年も続けることになるとは思ってもいなかった。

ザ・ビールスからザ・スカッシュメンへ

新しいメンバーは揃った。カッコいいバンド名が欲しい。が、この頃から俺は、バンドのネーミングが大の苦手だった。歌のタイトルを考えるのは好きで、まずはタイトルから作詞作曲に入るタイプだったが、なぜかバンド名が全くダメ。

誰が言い出したか定かではないが、BEATLESのロゴからTを抜いて、ロゴデザインはそっくりパクってBEALES（ビールス）とした。ドラムに黒のシールで名前を貼ると、誰もがビートルズとしか読まない。で、名前の由来を聞かれると「俺たちの音楽はビールスみたいに人の心に入り込んで蔓延していくんだ」などと、適当に後で付けた由来をうそぶいていた。

練習場所は主にユキオの自宅の離れ部屋。

住宅密集地だったが、そんなことは考えない。学校が終わると一直線で集合、ギンギンの練習開始だ。

サイドギターのショージは一番の練習好きで、曲もよく知ってるし、コピーも早い。

ベースのケンジはマイペースのおっとり型だ。タバコを吸う時間のほうが長い。

ドラムのユキオは、自己主張が強いわりに腕はついてこない。

それぞれ個性的なメンバーだが、バンドが好きなことは誰にも負けないから、次々レパートリーが増えることは楽しくてしょうがない。前のバンドより一層練習に熱が入った。

レパートリーを増やすためには、人一倍レコードを聴く必要があるが、高校生の身で、何でもかんでもレコードを買うわけにはいかない。必然的に、レコードをたくさん持ってる友達の家へ通うことになる。

俺たちの同級生は商店の二代目坊ちゃんが多く、当時の家庭はみんな大らかだったので、音楽好きの溜り場になっても、文句を言う親はいなかった。朝までレコードを聴き、そのまま学校に行くことも珍しくなかった。

徹夜しているので、必然的に授業中は熟睡しないと体がもたない。

「石田ァ、授業終わったぞー」と起こされ、またバンドの練習へ、という日々が続く。

さて、ビールス、という名前は、あっという間に消滅することとなる。ユキオがドラムを買い替えた。先輩バンドが使っていたものだが、そのドラムの前面に「ザ・スカッシュメン」と、べったりシールが貼ってあった。本当はローマ字で書いてあったのだが、それを書く気にもならないくらい、おぞましいメチャクチャなスペルで。

先輩バンド「ザ・スカッシュメン」は、実力人気とも俺たちも一目置いていたバンドなので、解散したのなら、そのまま世襲してやろうと勝手に決定、新生ザ・スカッシュメンが誕生した。シールを剥ぐのが面倒なので、おぞましいスペルのまま。

俺は命名が苦手だから何にも言わなかったし、名前なんかどうでもよかった。

ダンスパーティーブーム

田舎町といえども、俺たちが住む境港市は日本海側有数の漁港で、近くの航空自衛隊基地には米軍キャンプがあり、その影響か三万人程度の町に映画館四軒、ダンスホール三軒、もっとすごいのは、毎夜二バンドが交替演奏するナイトクラブまであった。のちに俺も、そのチェーン店のバンドマンとなるのだが。

ザ・スカッシュメンが実力をつけるに従い、やたらとダンスパーティーの仕事が舞い込んできた。きっちりした社交ダンスを踊る人もいれば、ゴーゴーに身をくねらせて踊っている連中もいて、こだわりなくダンスを楽しんでいた。

ギャラ、というものが発生する仕事もあれば、焼き飯食わせてやる、という条件にアンプやドラム抱えてホイホイ出かけていくときもある。ようするに、人前で演奏さえできればなんでもよかったのだ。

仕事の依頼が増えると、一番の問題点は楽器運びだ。高校生には車がない。車、しかも境港市では一台しかないホンダ６００のオープンカーを持っている社会人に目を付けた。

マネージャー、マネージャーとおだて上げ、オープンカーにドラムやアンプを積み上げて、俺たちがそれを支えながら身を乗り出して移動する。まるで軽トラみたいな使い方だが、本人は青春映画の主人公にでもなったつもりで、大喜びでどこでも行ってくれた。

パーティーの仕事をこなす上で一番のネックは高校生……ということだ。

青年団とか、一般社会人が主催のパーティーなら学校の先生が来る可能性はゼロだが、ダンスホールとなるとちょっとヤバい。

プロバンドの衣装を借りてステージに立つが、どう見てもスーツ姿がサマにならない。

一番コワいのは、フツーのおばさんの恰好をしたママポリ補導員だ。

バンドをやる奴は不良、なんてレッテルを貼られた時代だが、俺たちはもちろん補導歴などない。だからママポリさんの顔がわからない。ワルで有名な隣の学校の番長を門番に採用した。奴なら補導員の顔がすべてわかる。

ダンスホールの入口で見張り、補導員が来たらすぐステージに連絡をもらい、即レコードに切り替え、俺たちは裏口からスタコラサッサと逃げ出そう、と打ち合わせしての演奏だ。ま、幸いそんな必要はなかったけど。

このダンスパーティーブームのおかげで、高校生としては小遣いに不自由しなかった。

初任給一万円そこそこの時代に、四人のメンバーのギャラが一万円、主催者によっては二万円くれることもあった。

ヤマハライトミュージックコンテスト

ザ・スカッシュメンも軌道に乗ってきた三年生の春、「第一回ヤマハライトミュージックコンテスト」なるものが開催された。

さあチャンスだ！　絶対優勝するぞ、と張り切っていたら、なんと出場バンドにプロバンドがいるではないか。なんでもヤマハの話によれば、なんせ第一回ということで、どれぐらいのレベルのバンドが集まるかわからない。ヤマハが主催するのに水準が低すぎるとメンツが立たない。で、プロの方にもお願いしたということだった。でも、プロがアマチュアに負けては余計にメンツが立たない。鳥取県大会だけは優勝させる、という裏話がついていたらしい。そのかわり、東中国大会には進出させないということで、まあ一応納得して出場した。

まだ、当時はほとんどコピーバンドで、オリジナル曲のバンドはいなかった。

寺内タケシ「津軽じょんがら節」のパクリアレンジだが、一応オリジナルには間違いない。「貝殻節」、それが俺たちの出場曲だ。

俺の早弾きをたっぷり入れた自信作だ。

今でもそうだが、とにかく俺のギターがうるさい。センスもクソもないイモフレーズをやたら弾きまくる。バックのメンバーは、俺の好き勝手なアドリブが終わるまで、ひたすらワンコードをジャーン、ジャーンと鳴らしているだけ。ある決まったフレーズを四回弾くと元に戻るアレンジだ。

循環コードも知らず、ただワンコードで弾きまくる、そんなイモギターを、その頃ヒット曲を持っていた作曲家の審査委員長がこう評した。

「ザ・スカッシュメンのリードギターの石田くんは、今すぐプロになれますよ」と。

今、思う。審査員はいい加減なおべんちゃらを言うものではない。若者はすぐその気になるじゃないか。

俺はその気になった。

この世の中、ギター一本で俺はスターになれる。しかもその審査員は俺たちを東中国大会、関西決勝大会まで導いてくれた。

ああ、その日から俺の思い上がり、思い違いの人生が始まったのだ。

第1章　小さい頃から歌が好き

歌い始めた

境港市。鳥取県西部弓ヶ浜突端の漁港、人口約三万人。

昭和二十五年四月一日、俺は四人兄弟の長男、つまり上三人が女の、末っ子の長男として生まれた。

その時、親父四十六歳、母親四十歳。

両親共に島根県隠岐の島から大阪に出て商売を興し、既製服製造業オーナーとして成功した時期があったらしいが、第二次世界大戦真っ只中、わずかな親類のいる境港市に疎開してきたという。

まさか、と思っていた四人目が初めての男子誕生、ということで相当喜んだらしく、上の三人の姉よりも、親の愛を一手に引き受けた感は、幼いころの写真でよくわかる。

まず、既製服というものを着たことがない。いつも親父の手製の服だった。

たぶん、記憶の中に残る最初のステージは、保育園の学芸会で歌ったものだと思う。ベルベットのダブルのスーツに蝶ネクタイで、自慢げにマイクの前に立つ写真が残っている。

同じくラジオ山陰（現・山陰放送）朝の番組、「朝の童謡」は、四歳だった。

レギュラーのようにあちこち公開放送に行った。両親共に仕事で忙しく、小学校一年生になると、ひとりでバスに乗って移動していた。昔の親は独立精神を養うためにみんなそうだったのか、俺の親が特別だったのかわからない。

変声期、というものに記憶のない俺は、女の子と同じキーで歌う童謡が、低学年ですぐ歌えなくなり、即、三波春夫、三橋美智也に変わった。

「船方さんよ」、「夕焼けとんび」。我が家はいつも土建業、左官屋などの親類が集まっては、だるまストーブに大ヤカンを乗せた燗酒をぐいぐいあおる宴会場だったから、俺はオッサンたちを相手に、得意げに浪曲歌謡をうなっていた。

一方、唯一の情報収集機関である我が家のオンキョーラジオは、俺の独占状態になっていく。

歌謡曲番組はもちろんのこと、ラジオドラマ黒柳徹子「一丁目一番地」はもとより、エンタツ・アチャコ、南都雄二、ミヤコ蝶々のお笑い番組、寄席、浪曲、ありとあらゆる芸能番組は聴き逃さない。

テープレコーダーなどない時代である。一度しか聴けない、というスリル感があるから、ラジオの前にはザラ紙と鉛筆は常に用意してあり、必死でメモしながら食いつくように聴き取る。

新しい落語ネタを仕入れると、忘れないようにすぐ皆の前で披露する。

歌はもちろんだ。今しか聴けない、と思うから、詞は書き取れるにしても、メロディーは一回聴いたら覚えなくてはいけない。

大人たちの前でウケたい、ウケると酔っぱらいのオッサンたちが小遣いをくれる。そんなセコい計算があったかどうか覚えてないが、とにかく何でもかんでも覚えた。

ああ、バイオリン

歌だけではこの子はだめだ。

母親がそう思ったかどうか知らないが、二年生のとき、いきなり境高校の音楽室に連れて行かれた。

なんだかオボッチャヤマみたいな男の子がグランドピアノを弾いていた。

「光輝、バイオリンにするかピアノにするか決めなさい」

ちょっと待ってよお、我が家でピアノなんか買えるわけないでしょうが。それに、男の子がピアノを弾いてる姿がなんとなく女々しく見えたので、ついバイオリンと答えてしまった。

先生も俺の手を見て、この子は手が小さすぎる。ピアノは無理でしょう。バイオリンなら一番小さなサイズならなんとか、と言ってくれたので、ラッキーと思ったが、あの時選択を違えたら、俺の人生変わっていたかもしれないな、と思う。

いつまでたっても好きになれなかった楽器、それがバイオリンである。

上手な演奏者なら、これほど情感を表現出来る楽器はないのだが、下手な、それもそこそこ弾ける程度の奏者であっても、これほど人の心をかき乱す不愉快な音色の楽器は他に類を見ないと思う。

ピアノは下手でもポンと押さえれば、それほど人を不愉快にすることはない音が出る。

しかし、どんな異論があろうとも下手なバイオリンはダメだ。

まず、金属弦を弓でこする擦過音が耳のすぐ横から聴こえてくるのだ。その音を発生させている張本人が自分自身なのだ。

どうしても好きになれなかったバイオリンだが、ひとつだけ良かったかも、と思えるのは、ギターにチェンジした時の運指に役立ったかもしれないことだ。

誤解を招くとマズいので付け加えるが、レコーディングやコンサートで聴くプロのバイオリンサウンドは大好きであり、不可欠なものである。あくまでも、自分が上手くならなかったための言い訳である。

……バイオリン大好きです。

衝撃の橋幸夫様

小学校四年生、時代が少しカッコよくなってきた。

守屋浩「僕は泣いちっち」、西田佐知子「コーヒールンバ」、飯田久彦「ルイジアナ・ママ」等々、カバー曲なのか日本の歌なのか、訳のわからん国籍不明の歌が流行りだし、夢中になって歌いだした。おお、こっちのほうがカッコいいじゃないか。

三波春夫、三橋美智也を歌わなくなった。

小学校五年生、一月十四日、この日俺の人生は決まった。決して大げさでなく、今でも鮮明に覚えている。

いつものように近所のお兄さんのユキ坊や同級生たちと、大好きな拳銃遊びで路地裏を走り回っていた。ユキ坊が、さっきからなんだか聞いたことのない歌を口ずさんでいる。

「なに？　その歌」

「え？　これか。これはな、デビューしたばかりの新人で橋幸夫ってのが歌ってる『イタコガサ』って歌だ」

新しい歌を僕が知らないで人が知っていている。そんなことは許せない。「教えてよ、オセーテヨ」と甘えてみせ、ユキ坊は一番しか覚えてなかったが、上手いお兄さんなので正確に歌ってくれて、すぐに覚えた。

翌日、長姉の旦那さん「にいちゃん」が休日で、近くの皆生温泉のヘルスセンターに連れて行ってくれた。

大人がワイワイと酒を飲んでは、大きな声で歌っていた。

「光ちゃん、ひとつ歌ってみろ」にいちゃんに言われた。酔っぱらいの前で歌うのは幼い頃からの「仕事」みたいなもんだ。

覚えたばかりの「潮来笠」、得意げに大声張り上げた。

「いたこんのォいーたろォォちょっとみなァれえばァ……」

ヤンヤヤンヤの大喝采だ。童謡とバイオリンのステージ経験はあるものの、歌謡曲を歌ってこんな拍手を貰ったのは初めてだ。

よし、こんな素晴らしい職業は他にない。

僕は歌手になる！　僕は歌手になる！

心の中で大声で叫んでいた。

我が家にはテレビがなかったので、日曜日になると仕事で留守の姉の家で一日中テレビ浸けになった。

「一週間のご無沙汰でした」という玉置宏の名調子で始まる「ロッテ歌のアルバム」、続いて、コロムビアスター勢揃いの「コロムビア歌謡大行進」、歌の次は藤山寛美の舞台中継で大笑いして、夕方六時は藤田まこと、白木みのるの「てなもんや三度笠」。さてさて続いてはおしゃれなポップスと新しいギャグがいっぱいの「シャボン玉ホリデー」。エンディングのザ・ピーナッツが歌う「スターダスト」は、今も耳から離れない。

歌手は歌だけじゃ駄目だ。お芝居もできてお笑いのセンスも磨かなくてはと、芸能に関するテレビ、ラジオ番組、音楽雑誌、なんでも手当たり次第あさっていた。

橋幸夫のレパートリーをA面B面問わず全曲覚えるのはもちろん、次々にデビューしていくカッコいいスターたち。舟木一夫、三田明、西郷輝彦、安達明、久保浩、山田太郎、梶光夫、叶修二、島和彦、有田弘二……。あげれば枚挙にいとまがない青春歌謡歌手。ありとあらゆる歌を片っ端から覚えていった。

今でもそうだが、女性歌手のファンになったことがない。たぶん、自分の目標とする対象として見ていなかったからだろう。

我が家の近所、歩いて五分以内に映画館が四軒あった。日活、東宝、松竹と邦画だけの上映館しかなかったが、映画館は小さい頃から俺の遊び場だった。特に自宅すぐウラにある港映劇は毎日のように通った。いわゆる二番館、旧作のみの上映館で、三本立て四十円だったが、ちびの俺はチケットもぎりの台の下をコッソリ潜り抜けて入っていた。たぶん映画館のオジサンも、ああ、あの子また来てるな、ぐらいに思ってくれていたのだろう。さすがに中学生になるとちゃんと払って入っていたけど。

ときどき、「映画と実演」という看板がかかり、ストリップと映画、という興業が多かったのだが、たまーに歌謡ショーがやってきた。フランク永井、佐川ミツオ、花村菊江など、当時は大スターだったのだが、なぜか看板は「映画と実演」で、歌謡ショーは映画の前座扱いだった。それぐらい映画のほうが人気があり、価値観が高かったのだろう。

こんな田舎町の、二百人も入れば立ち見超満員の小屋に大ヒット歌手が来るのだから、いかに全国にホールがなかったか、そして歌手のギャラが低かったかがわかる。

現在、演歌、歌謡曲が売れない売れないと言われる。嘆いてる暇があったら、あの当時のことを思い出し、歌手がふんぞり返らずギャラを低くして、小さな田舎町での興業を増やし、もっともっとファンとの身近なコミュニケーションをとる方法を考えるべきではないか、と思う。

さて、小学校で決意した歌手への夢は、中学校へ行ってますます膨れ上がった。

たまたま俺たちの校舎は鉄筋の新校舎だったので、階段の踊り場で歌うと気持ち良いエコーがかかる。

「さあ、今日は三田明の新曲、『スキー仲間』だぞー」などと言って、休み時間はいつも踊り場コンサートの開演だ。はじめのうちは、なんだこいつ?みたいな顔をしていた上級生や、俺を知らない別校区の新入生たちもすぐ慣れてしまい、あ、またやってる、ぐらいの感覚で、無視してくれるようになった。

歌好きのクラスメイト達は毎回観客になってくれる。先生たちも、どうもあきらめているようだ。

とにかく、授業中と食事中、睡眠時間以外はいつも歌っていた。新曲を覚えることも楽しい。それを友達に聴かせることも楽しい。歌ってさえいれば楽しいから、歌わないことは息を止めるのと同じことだった。

作曲との遭遇

こんな歌バカの俺だが、成績は悪くなかった。少なくとも小学校の間だけは。

強制的にバイオリンを習わせた母親は、学業に関しても教育熱心で、やたらと勉強勉強と言ってたし、俺も別に勉強嫌いではなかった。特に母は、読書と漢字書き取りを強制したが、本はもともと好きだし、漢字を覚えることも、子供の頃からラジオの前で歌詞や落語を速記する癖がついてるから苦痛でもなんでもなかった。

勉強を止めた理由。それは中学に入学して最初の学力テストで、当然ベストテンには入るだろうと思っていたら、なんと四十五位だったから。一学年五十人の八クラス、四百人のマンモス校だから、決して悪くもないのだが、これでガックリ、突然勉学意欲を失くしてしまった。

これで決めた。もう勉強はしない。好きなことに精を出そう、歌手になるんだ、学業成績なんか関係ない。まことに都合のいい理由をつけて、一切勉強をしなくなった。

といっても、それ以下に下がることもなかった。数学を除いては。数学だけは真面目に勉強しないとやっぱりダメらしい。

ま、でも歌に数学は関係ないわい。

勉強は止めたが、生来のお調子者のせいか、ずーっと途切れることなく学級委員には選考されていた。

それもあってか、ある先生から「石田、転入生なんだが、お前と友達になるとすごい力を発揮出来る奴がいるんだが、一度会ってみないか」ってことで、タカシを紹介された。

タカシは色白で声もおとなしく、おっとりとしていて俺と正反対な奴だったが、妙にウマが合った。

話してみると、大の橋幸夫ファンの俺に対して、奴は舟木一夫派だった。

たまたま時を同じくして俺は風紀委員長、タカシは生徒会長に選任されたので、放課後は生徒会の活動に関してディスカッションするという名目で、長時間話し合った。下校時間が遅くなっても、先生から注意を受けることはなかった。むしろ、今度の生徒会は熱心でいいな、と褒められたりしていた。

ところが、放課後の教室で俺とタカシが戦わしていたのは、橋幸夫が上手いか、舟木一夫が上手いか、それだけだったのである。

「橋幸夫のほうが音域が広いし、それに男の色気がある」「いや、舟木一夫の声は幅があって低音部の響きがすごい」なんてことを、このアホな中学生ふたりは、毎日遅くまで論じていたのだ。

少し前から、俺は作詞を始めていた。

橋幸夫のような歌を書いてみたい、三田明みたいな歌をと、歌手に憧れると同時に、その先生である作詞作曲家に憧憬の念を抱き始めていたのだ。

いつも国語辞典を持ち歩いては、なんかいい言葉がないか、あのヒット曲のような歌をどうすれば書けるかと、やたら物まねの域を出ない詞を書きためていた。

その頃、大阪から転校してきた一学年下のミッちゃんに、俺たちみんなマドンナ的に憧れていた。そのミッちゃんがテニス部にいたため、俺はひとつの詞を書いた。

「初恋のテニスコート」

笑ってしまいそうだが、至極マジに書いたのだ。

タカシにそっと見せた。

「俺、詞は書けるけど作曲できないんだ」と打ち明けると、

「ボク、作曲できるよ」と、タカシがしれっとした顔でのたもうた。

「エーッ！　ほんとかよ。じゃあ頼むよ。三田明みたいな曲を」

一週間後、出来たと言う。

ワクワクする気持ちを抑えながら、歌を聴くため、校舎の陰に移動した。

「初恋のテニスコート」をタカシが歌い始めた。「はーずぅむラケットお　あさァもーやのー」

ム？………

さらに歌い続ける。

「なーかーにーひびーいたー」

「……ム…ムムム……やめんかい！」

爆発した。

「なんじゃその歌はァ！　俺の思いを込めた詞を台無しにしやがってえ。そんなしょうもない曲を書いてもらうくらいなら、俺が、俺が自分で書くわい！」

作曲家・石田光輝、世紀の誕生の瞬間である。あの時、タカシがいい曲を書いていたら俺は一生作曲しなかったかもしれない。

ま、そんなこたあないか。


一曲書けたら、もう夢中である。授業中、教科書で五線紙を隠し、ひたすら曲を作り始めた。いくらでも曲は出来るのに、浮かんだメロディーが思うように楽譜に書けない。音楽ノートの裏表紙に、音楽用語や簡単な楽典知識が書いてある。俺は生まれて初めて真剣に裏表紙に取り組んだ。

なんでも真剣にやれば理解は早い。今まで難解だと思っていた音楽用語も、長音階、短音階、譜割り、反復記号、なーんだこんなことかと、一発で解った。

解り始めると、どんどん曲が書きたくなる。曲には詞が必要だから、詞もますます増えていく。増えたら発表したくなる。

それまでの踊り場コンサートは止めにして、今度は教室の中で休み時間ごとに新曲発表会が開催されることになる。

バイオリンを辞めた後の俺は、学校のリコーダーしかなかった。音を探るために使うのはいいが、どうもリコーダーでの作曲は格好悪い。まだ楽器なしのほうがサマになる。

楽器なしでの作曲、このスタイルは、プロになってからも、とても役立っている。

居酒屋でナプキンに五線を書いて一丁上がり！　という作品も多数ある。こういう作品が肩の力が抜けていい歌になったりするんだよなあ。

あなたのメロディー出場

勉強は放棄したが、境高校の受験はすべりこみセーフだった。三百人の定員に四百人の受験生。これは奇跡だね。

まあ運が味方をして、これで俺も高校生だ。楽しむぞお！

入学と同時に、生徒会と合唱部からお誘いがきた。

元来お調子者だから、よしゃあいいのに二つともOKを出して活動することになった。

ところが、だ。なんと入学早々声が出なくなってしまったのだ。

俺にはボーイソプラノ時代がほとんどなくて、すぐ現在の声に変わったので、変声期がないと思っていたのだが、どうもこれが遅い変声期らしい。今まで歌えていた歌がスムーズに歌えないし、病院に行っても全然良くならない。

小学生から歌手だけを目指してきた俺にとって、これは実にマズい。

約束した以上、合唱部に顔を出して「アー、エー、イー、オー、ウー」と発声練習に参加はするのだが、テノールにするのかバリトンなのか、いつも調子が不安定で決まらない。

もともと発声練習など嫌いだから、いい口実が出来て、めでたく退部出来て、生徒会に専念することとなった

しかし、声の調子は相変わらず不安定。俺の夢に暗雲が立ち込めてきた。

参ったなァ、諦めるかなァ歌手の夢。

悩んでいるうちに、次第に歌いたくなくなってしまった。

ちょっとやけ気味に、やったこともない軟式野球部に無理やり入った。もう声なんかつぶれてもいいや、と野球の練習でばかみたいな大声を張り上げていたら、アララ、喉が治った。まさに逆療法大成功。即、退部した。

その頃、青春歌謡ブームも下火になり、世の中はベンチャーズ、ビートルズ、そしてグループサウンズ一色になっていた。

今まで作曲してきた歌謡曲路線を止めて、ビートルズみたいなカッコいい歌を書こう。で、出来たのが「蒼い夜の恋」。リズムはもちろんエイトビート。こりゃカッコいいぞ、ってんで、日曜日の午前中にやっていた、NHKテレビの「あなたのメロディー」に応募した。アマチュアが作詞作曲した歌を、希望する歌手が生で歌ってくれる、という番組だ。一週間に五百曲ぐらいの応募があり、その中から五曲選ばれて放送されるということで、まあ無理だね、と思っていたら、なんと合格してしまった。俺は早生まれの高校一年生だから、番組史上最年少出場だそうだ。

寝台特急いずも号でただひとり学生服で東京にむかった俺は、ワクワクしていた。テレビに出るからじゃない。番組収録が終わったら、そのままジャズ喫茶ACB（アシベ）に入りこみ、バンドボーイにしてもらおう、というアホな魂胆があったからだ。

当時、人気歌手は家出少年からバンドボーイ、そこで認められてデビュー、というサクセスストーリーが芸能本を賑わしていたからだ。信じやすいのだ、田舎の少年は。

さて、学生服の田舎の少年はなんとか内幸町（当時はここにあった）のNHKホールにたどり着き、控室へと丁寧に案内された。

なんとなく不安な気持ちで控室にいると、廊下から大きな声がする。

「米子から来た人はどこですかァ、誰ですかァ！」

声の主は審査委員長の高木東六先生。

「いやあ、君ですかあ、良かったねえ、頑張ったねえ」と大喜びしてくださった。

俺は境港市だけど、まあ似たようなもんだから、「はい、ありがとうございます、頑張ります」と緊張しながらも答えた。ひとりで上京してきた不安感がこれですっ飛んだ。

高木東六先生は米子市出身である。若くして留学されたので、米子にいたのは、幼少時だと思うけど。

本番でのコメントも、「いやあ、あなたませてますねえ、高校生が書いた歌とは思えないねえ」と、お褒めに預かった。

この時、歌手はブルーコメッツを希望していたが、なぜかその頃大ヒット曲を飛ばしている演歌歌手だったので、自分のイメージ通りではなかったが、目的は他にあったので、まあいいや、で終わった。

収録後、俺たちはディレクターに引率されて新橋第一ホテルへ。生まれて初めて見る外国人の数と威風堂々としたロビーに、学生服の俺は圧倒されたが、いつかこんなホテルを常宿にするようになってやるぞ、とひそかに思っていた。

一緒に番組に出た北海道から来ていた下河原さんは、背広姿でずいぶん大人に見えたが実は十七歳。中卒で社会人になって、作曲家を目指していると、目を輝かせて話してくれた。「僕は中村八大さんのようないい曲が書きたいんだ。僕が作曲家、君が歌手志望ならふたりで作品が出せるといいね」

じゃあお互いに夢を叶えような、と新橋駅で握手して別れたが、その後音楽業界で彼の名前を耳にしたことはない。どうしてるかなあ。元気に再会したいものである。

結局俺はこの後「あなたのメロディー」に連続出場し、二度目は梶光夫、三度目は加瀬邦彦とザ・ワイルドワンズに歌ってもらい、最多出場を果たした。

エレキにしびれて

新橋で下河原さんと別れた俺は、しばらく皇居で一休みしてから目的の行動を開始。まずは目的のACB（アシベ）を探さなくては。着替えは持ってないから仕方ない、学生服のままだ。田舎者に思われたくないイナカモンは、人に道を尋ねるのが嫌いだ。自分の足でなんとか探そうと、ひたすらカンだけを頼りに歩き回るが、銀座は広い。

真っ昼間だからネオンもつかないし、大きなビルの隙間にあるであろうジャズ喫茶を探すのは容易ではない。だが、家出をしてきた（つもりの）俺には時間はたっぷりある。

ひたすら歩け歩け！　看板を探せ探せ！

アッター!! ACBだあ! アシベだあ!

それは、何十回も通り過ぎたビルとビルの隙間にあった。小さく「A、C、B」とプレートを貼ったドアの横に、ほこりをかぶったコーヒーやコーラのショーケースがあるちんけな入り口だった。こんなのワッカルワケネエジャーン、と思いながら出演者掲示板を見ると、「本日の出演・昼の部二時○○○　夜の部○○○」とある。知らない歌手とバンドだが、まあ平日の昼間だ仕方ないか。

さあ、待ちに待った二時、店内に入った。

小さな入り口からは想像もできない夢の空間が広がった。ギンギラの照明、円筒型のステージを囲んで、上からも下からも均一に見ることのできる吹き抜け二階建ての客席。そのステージ上には、キラキラ光る見たこともない美しいドラムやエレキギター。薄暗い店内を蠢くように照らすミラーボール。

こんなお昼になんでこんなに人が来るのかな。会社行ってないの? 学校行ってないの? なんて考えていると、やがてあまりスターとは思えないオジサンたちが、いかにも「バンドマンでーす」というような趣味の悪いスーツを着てステージにスタンバイした。

歌手登場。あれえ、どっかで見たような。ああそうだ、テレビのスカウト番組で途中敗退した人だ。そうかあ、あんな人もプロで歌ってるんだ、いいなあ。いろんなこと思いながら見ていると、「いらっしゃーい！　まずはエレキ演奏からねー！」と、その歌手が叫んだ途端、デ、デケデケデケデケ……耳をつんざくような強烈なギターの音が炸裂した。

聴いたことはある、見たことはある、エレキギターの音は初めてじゃない。しかしどう自分に言い聞かせても、そのサウンドは生まれて初めての体験なのだ。

上手いと思っていた先輩バンドの音とも違う、田舎でプロだと名乗り、ナイトクラブで演奏しているバンドの音とも違う。曲はおんなじ曲なのだ。なんだこれは。何が違うんだ。

それに、さっきは普通のオッサンだったのが、演奏するとなんてカッコいいんだ。あんな悪趣味な衣装が、ライトに映えてなんてきれいなんだ。

アンサンブル、その言葉が頭をよぎった。

わかったぞ、この人たちは実力が同等なんだ。ひとり達者なリーダーが皆を引っ張って行くアマチュアとは違うんだ。だから楽しそうだ。自信に満ちている笑顔だ。プレイする動きの美しさだ。

でも、この人たちはスターじゃない。スターバンドは平日の昼の部のトップには出ない。それじゃ、スターのプレイはどうなんだ。もっとカッコいいのか。もっと凄いのか。じゃあ俺のレベルって何なんだ。ちょっと人より歌が上手いって言われてるだけの、田舎臭い高校生じゃないか。俺の出る幕なんてどこにもないじゃないか。

昨日までのＮＨＫ出演の喜びなんかいっぺんに吹っ飛んだ。

ダメだこりゃ。やり直そう出直そう。

実力つけなきゃ、東京に出て来たって落ちこぼれるだけだ。

店を飛び出した俺は、すぐ東京駅に向かい新幹線の切符を買った。


やや傷心の思いで帰った俺を、待ち受けている友達がいた。

「光輝、お帰りー。ＮＨＫ出演おめでとう」

「みっちゃん、バンドやろうと思って楽器揃えて待ってたぞー」

みんなの顔が活き活きしている。

アンプもある、ドラムもある、エレキギターもある。俺は、東京で出会ったことを夢中で喋り始めた。

あまりにも解散の早い、ザ・ドンファァーマーズの誕生であった。

さよならエレキ、ラストコンサート

エレキギターに明け暮れた高校時代も終わりを告げるときがきた。

ザ・スカッシュメンのメンバーはひとりもプロ指向の者はいなかったし、実力もないのはみんなわかっていた。

ユキオもケンジも一学年下で、それなりに大学受験の準備もしていたようだ。

俺はというと、ここにきて迷っていた。

他にも、プロ指向のメンバーとの交流もあったから、いろんな話は舞い込んでいた。

東京のACB同様、大阪にはナンバ一番というプロの登竜門のジャズ喫茶があり、西郷輝彦、ザ・タイガース、オックスの真木ヒデトなど一流スターを輩出していた。

山陰の人気バンドからピックアップして実力バンドを作り、大阪へ繰り出そう。もうナンバ一番の系列のゴーゴークラブと話がついている、行こうぜ！と盛り上がっていた。

が、俺には最大のネックがあった。

末っ子の長男、という立場で両親が高齢であるということだ。頼むから地元で就職してくれ、と泣いて頭を下げる両親を、捨てて出ていく決断ができずにいた。親は、楽器店の就職先まで勝手に決めてしまっていた。

嫌だ、絶対プロになる、と言い張れば、進めない道ではなかったと思うが、ピックアップメンバーによる大阪行きが、俺の心を百パーセント納得させるものではない、というのが正直な気持ちだった。あの、東京で感じたアンサンブルのような、技術だけではない、精神的なアンサンプルに自信が持てなかった。

結局、俺は大阪行きを断念し、楽器店に就職することになった。

楽器が好きだから楽器店に勤めさせれば納得するだろう、という親の気持ちだったが、それは別問題だ。

俺は、大阪行きを断念した以上、もうギターとはおさらばしようと思った。いつまでも未練がましくプロの道を追いかけるよりも、親のために諦める、と口に出した以上、完全にあきらめよう。プロの楽器セールスマンになろう、と決めた。


高校時代にすべてを捧げたザ・スカッシュメン。別れ別れになる前に、なにか記念になるラストコンサートをしよう、ということになった。

島根県隠岐郡海士町。両親の出身地だが、この隠岐の島のイカ釣り漁師の伯父夫婦には子供がいなかったので、代わりに俺を我が子のように可愛がってくれていた。

小一から高校まで、夏休みはほとんど隠岐の伯父伯母の家で過ごしていたから、友達もたくさんいた。

どうせコンサートをやるなら、離島のため生のバンド演奏を聴く機会のない、隠岐の高校生に聴いてほしい、と思った。

俺は隠岐島前高校の校長先生に嘆願の手紙を書いた。

第二のふるさとと俺が考える理由、ザ・スカッシュメンの活動経歴、受賞歴、テレビが報道するような不良ではないし、長髪でもない、島の高校生にぜひ聴いてほしい、そして解散の記念にしたい、と。

校長は理解してくれた。二月に卒業生を送る会があるから、ゲストとして演奏してくれと返事をいただいた。

二月の日本海。吹雪で欠航寸前の隠岐汽船に、アンプ、ドラム、ギターなどを積み込んだ。俺は隠岐航路の恐さをよく知っている。波高5メートル、6メートルと簡単に言うが、ビルの高さほどの波をかいくぐって六時間以上も航海するのだ。

絶対に船ではしゃぐな、とメンバーにクギをさしておいたのだが、初めての隠岐旅行に嬉しくてたまらないらしく、船内や甲板をウロウロ楽しげに歩き回っている。案の定すぐに船酔いしてゲーゲー。そんなの介抱しようものならこちらが参ってしまう。無視して毛布を被って寝るしかないのだ。

船酔いは不思議なことに陸に上がれば醒める。ヘロヘロになりながら着いた。

当時、海士町菱浦港は、岸壁に汽船が接岸出来なくて、数十メートル沖に停泊し、送迎の伝馬船に重い楽器を移し替えて下船するしかなかった。

なんとか楽器を海に沈めることなく上陸。

着いたぞー、さて島前高校はどこじゃいなと見渡すと、ありました。百メートルはあるかと思われる丘の上にそびえ立っているのを見て、思わずヘナヘナヘナ〜。

気を取り直して、リヤカーで楽器を講堂まで運び入れてステージの下見。さあ明日は本番だ。張り切って演奏するぞー！

「エー、今日のゲストのスカッシュメンは……石田光輝さんは……どうのこうの」と幕前で生徒会長が俺たちの紹介をしているが、生徒の間から「ヤメェヤメェ、そげなもん」などとさかんにヤジが飛んでいる。俺たちはそれどころじゃない。エッチラオッチラ運んできたギターアンプの音が出ないのだ。

ヒェー、ここまで来てこれかよォ。エーイ仕方ない、もう一台のベースアンプに突っ込むかあ、などと慌てふためいているうちに生徒会長の挨拶が終わった。「ヤメェヤメェ！」

エーイままよ!! ジャーン、出たっ、突然出た、石田光輝さまお得意のフルボリュームギター。

ジャッジャーン、ラーララララーララララーララララーララララーララララー。

オープニング曲、「ダンス天国」。俺のスキャットソロのあと、ショージのハーモニーが重なる。決して音響がいいとは言えない、体育館備え付けのマイク二本のみ、あとはドラムも生音だが、スタートした途端、俺たちのアドレナリンは一気に昇りつめた。

来てよかった。全校生徒の目がテンになっている。俺が東京のＡＣＢで受けたよりも、比較にならないくらい圧倒的なショックを受けているのがよくわかる。

パッパッー、「ダンス天国」終わり。大拍手が……アレ？　こない。みんな固まっている。じーっとこちらを見たまんまだ。野次もこない。ときが一瞬止まった。

俺は、アレー？という顔をして首を突き出しニヤーッと笑った。ウワーッという歓声と拍手がいちどきに起こった。

「みなさんこんにちは！　ザ・スカッシュメンでーす！」

さあここからは突っ走るだけだ。「ダイヤモンドヘッド」、「十番街の殺人」のベンチャーズに始まり、「サイモンセッズ」、「ジャンピングジャックフラッシュ」、「テルミー」、と矢継ぎ早に得意のレパートリーを繰り出す。トークも乗って時間がオーバーしてきた。

いよいよ俺のギターの見せ場だぜえ、と思っていたら、ステージ横から先生が両手でバツマークを送ってきた。なんかマズいこと言ったかなあと思いながら、あと二曲だけお願い、と合図を送るとＯＫサイン。

これやらなきゃ何のために来たかわからない得意中の得意、「運命」だあー！　俺の速弾き見ておくれ。

いよいよラスト、俺たちのコンテスト受賞曲、オリジナルの「貝殻節」。思いっきり長いアドリブ入れて、めでたく幕。

俺たちザ・スカッシュメンは、隠岐の島前高校ステージで終わった。

演奏終了後、校長室で、さっきバツマークを送ってきた先生が申し訳なさそうに、「演奏をストップさせたかったわけじゃないんです。連絡船で通学している生徒がいて、その子たちだけを帰らせるのが可哀想でね」と説明してくださった。

また、最初野次をいれていた男子生徒のことにも触れ、「悪い子たちじゃないんですよ。刺激のない島だから、こんな変わった出来事があると、なんか大声でも出さんと、どう対応していいのかわからんのですわ。その証拠に、演奏が始まった途端、ピタッと静かになったでしょ。自分たちも聴きたくて、今日まで楽しみで楽しみでかなわんかったんですわ。」

俺たちは、こんな先生のいる、この高校でラストコンサートができて、こころから良かった、と思った。

リヤカーに楽器を積んでの帰り道、下校する生徒たち全員が、ありがとうございました、と帽子をとって挨拶してくれ、また、リヤカーを自分たちの手で運んでくれた。

その中に、きっとあの野次を飛ばした生徒がいるに違いない、と確信している。

その夜は、ただひとり島に残っていた友達も参加しての大打ち上げ大会。
村に一軒だけある酒屋のビールが売り切れた。

第2章　バンドマンからデザイナーへ

焼け木杭に火が付いた

卒業を控えた二月から、就職の決まった者は学生服のまま勤務につく。研修期間を効率よく短縮するためだ。俺は、親父の決めてきた米子市の楽器店に就職した。

家族的な働きやすい会社だったが、取り扱いが、学校関係を主としたピアノ、オルガン専門店だったので、ギター類はあるにはあったが、クラシックギターだけだ。

社長は、一代でこの商売を興した苦労人で、とても頭が低く、真面目な人だ。

「石田君、うちは学校に楽器を納入する会社です。今までの交流関係を捨てて、バンドマンとは一切付き合わないように。ましてバンドをするなんてことはもってのほかですよ」と。

俺もそのつもりで就職したのだから異存はない。セールスマンになる以上は、トップセールスマンになる意気込みだったから、そのまま口に出した。社長は、頼もしく見えたに違いない。その時は。

大阪ヤマハでの一週間研修も終え、六月からは一人前のセールスマンとして成績を付けられることになった。

まだ運転免許を持たない俺は、毎日チャリンコで米子市内を駆け回った。

また来たのー、なんて嫌がられても、平気で毎日顔を出して、「もうあんたには負けたわ。買ってあげるよ」と粘り勝ちしながら、この月は十六台のオルガンを売り上げ、トップとなった。

ここまでは良かったのだが、すぐに俺の心を根底から揺るがす出来事が起きた。

「あれ、君スカッシュメンの石田くんやないかあ。てっきりプロになってた思たら、ここに勤めとったんかあ」

大阪ヤマハの担当者だ。昨年の、第一回ヤマハライトミュージックコンテストのことを言ってるのだ。

「石田くん、去年の代表バンドは今年も出てくれなあかんでえ」

「だめですよ。僕らはもう解散したし、ギターも捨てたし、第一ここの社長が許してくれませんよ」

「何ゆうとんねん、社長には僕から話つけるがな。米子大会もゲスト扱いで、鳥取県予選もシードや。東中国大会からでええ。関西決勝も、交通費宿泊費ぜんぶみたるがな。ギターも他のバンドから借りたる。手ぶらで来たらええがな。去年の代表バンドが出てくれんとレベルが下がって困るんや」

「でも、練習もしてないし、去年の曲しか出来ませんよ」

「ああ、それでええ、それでええ」

大阪弁でまくし立てられ、社長もヤマハの頼みならしょうがないってことで、旅行気分で久しぶりにメンバーと行くことになった。別に入賞する気はなかったが、岡山市民会館での東中国大会も難なくパス。関西決勝へ進出となった。

しかし、その頃関西はフォークのレベルが高く、もうロックのコピーバンドなんか出る幕がなかった。

「どうする？　審査結果まで待つ？」

「そんな必要なし！」

俺たちはさっさと大阪厚生年金会館を後にして道頓堀へ向かった。やはり大阪に来たら、ジャズ喫茶ナンバ一番に行かなくちゃ。

昼の部、二バンド出演。名前は知らないがレコードを出しているバンドだけあってさすがに上手い。ミックジャガーばりのボーカル、演奏テクニックも、やはりプロのバンドはきめが細かい。俺たちは感心しながらプロのステージにのめり込んでいった。

「では、このステージの最後に、僕たちのレコーディングナンバーを聴いてください」

お、オリジナルだ。

「星の王子様でーす」

な、なにィ、なんでミックジャガーが星の王子様なのよ？　と思ったらミックジャガー似のボーカルはさっとステージ端に移動、なんだかしょぼいイントロが終わり、歌いだしてずっこけた。

「ほしのー、ほしのー、お、おーじさまー」と甘えたようなノド声で歌っているのは、今まで一曲も歌っていないドラマー。しかもこの曲、クッサーイせりふまで入っている。つまり、バンドのカラーや個性など微塵も感じられないオリジナルなのだ。

ただミーハーなガキに受ければいい、という制作者の安易な意図が見え見えのくだらない歌だ。

もうGS業界も終わりだね、と口々に語り合いながら我々スカッシュメンは、最後の最後の演奏を終えて、いつかまた会おう、とそれぞれの生活に戻って行った。

この出来事が、無理やり押さえつけていた俺の音楽ごころに火をつけた。

忘れたはずのギター、捨てたはずのギター、大阪ではダメだったが、岡山ではまた審査員に絶賛された。俺のギターはいける、歌だって「星の王子様」よりいい歌はいっぱい書ける。プロだ、やっぱりプロになるんだ。プロになるべきなんだ。セールスなんて俺にはもともと向いてないいんだ。イヤだ、揉み手するようにへつらいながら楽器を売って歩くなんてもう耐えられない。

寝ても覚めてもギターのことしか考えられなくなった。

朝、会社へ出ても、もう顧客カードに目を通すことも、こんにちはー、と見込み客の玄関を開けることも出来なくなった。

午前中は河原でぼんやり、午後は映画館で時間つぶし、という日々が続いた。

プロになりたい気持ちと、せっかく期待してくれた社長や、両親に何と打ち明けようか、そんな気持ちが一日中渦巻いていた。

毎日毎日そんな思いを抱いて生活していることに、俺のこころは悲鳴を上げ、ついに体の調子がおかしくなり、原因不明の高熱が一週間も続いた。

「石田くん、大丈夫かね」社長がお見舞いに来てくれた。

俺は、もうこの機会しかないと、熱で朦朧としながらも、現在の思いのたけをぶちまけた。

「どうやら、もう帰ってもらうのは無理みたいだね。やはり君と音楽を引き離すことはできないようだね」と、理解してくれた。

社長の寂しそうな背中に、申し訳なさでいっぱいになりながらも、自分の悩みをすべて打ち明けたことで、熱は嘘のように引いて行った。

両親も、社長から話を聞いたようで、もう諦め顔になっていた。

「好きにやらせるしかないか……」

バンドマン人生の始まり

熱も下がり、会社ともきちんと決別した俺は、早速次の行動に移った。

東京に出る、といっても、何のコネクションもなければ金もない。

自分のことは自分でやるから、好きなことを一度やらせてくれ、と両親と話し合った以上、頼りにしてはいけないし、我が家にそんな余裕があるはずもない。

とりあえず片道切符の金だけでも作ろうと、繁華街をアルバイト探しに出かけた。

「夏休みだからバイトの手は余ってる」

「本気でバーテンダーになるなら雇うよ」

と、相手にしてもらえない。

なにか稼ぐ方法はないものかと、高校時代たまに使ってもらっていたバンドリーダーに相談に行った。

「あのお、バンドに入れてもらえないですかねェ」

オズオズと訊ねると、「K・輪島とタヒチアイランダース」のバンマス輪島さんは、即スケジュール帳を開いた。

「お前、ベース弾けるか？」

「イヤー、エレキのリードしか」

「フーム、ギターはいっぱいおるしなあ」

ダメかなァ……。

「お前、歌うたえるか？」

目の前にドサッと楽譜の山が積まれた。

「あのー、昔は橋幸夫とか歌ってましたけど、あとはロックやGSばかりで」などとモゴモゴ言いながら歌える曲を探した。

あった！「潮来笠」だ。あ、布施明の「愛の園」も歌えるぞ。「ベッドで煙草を吸わないで」もなんとか。「知りたくないの」、たぶん歌える。愛田健二の「京都の夜」、あ、これもOKだ。

必死になって歌える曲を探した。

「わかった。ハワイアンはこれから毎日来て歌とギターを覚えろ。来週からクラブ・ニューホクヨーに出ろ」

やった、採用だ。

ほんの腰掛けのつもりで、どうせこんなローカルバンドと、たかをくくって入ったが、それが大間違い。ハワイアンは全くのド素人だし、ジャズ、ウエスタン、シャンソン、懐メロ、ムード歌謡、ど演歌、はてはロシア民謡から日本民謡まで、なんでもこなさなくてはいけない。ロックやGSには出てこなかった複雑なコードがどんどん出てくる。

俺は飛ばし飛ばし演奏してるが、先輩たちは何でも平然と弾いている。

こりゃ、ナメたらあかんぞお。ちょっとこのバンドで基礎から勉強しようか。

昼飯食べたらすぐバンマスの家で練習。ハワイアンのレコードを嫌になるほど聴かされる。そして、エレキとは全く違うピッキングを、体と指が覚えるまで毎日毎日繰り返す。有名プレイヤーの演奏スタイルの違い、歌唱法など詰め込まれるが、初体験のハワイアンも、だんだん面白くなってきた。

なんといっても、毎日音楽が勉強できるのだ。しかもタダで。どんなジャンルも貪欲に吸収していった。

さあ、いっぱい勉強して、一日も早く東京に行けるようになるぞー!!

プロの世界は厳しいよ!

それまで歌ったことのないムード歌謡も、絶対必需品。

精一杯気分を出して歌ってるつもりだが、

「コラ、石田、もっとムード出して歌わんかい」と、横の先輩歌手から怒鳴られる。

なにせ、目の前にマイクがあるからまる聴こえだ。

今までオッサンばかりのバンドに、十八歳の少年メンバーが入ってきたから、ホステスたちも格好のエサだ。

俺が真剣に歌っていると、ホステスたちが顔をゆがめたり、べろべろバーをしてなんとか笑わせようとしている。

あんまりしつこいから、笑ってやらなきゃ失礼かなと思い、へへへっと笑ってみせると、すかさず鬼のマネージャーが
「こりゃ石田、真面目に歌わんかあ！」

と怒鳴って飛んでくる。

かと思うと、店内が日活映画のキャバレーシーンになることがしばしばある。

一階席〇〇組、二階席◆◆組がケンカを始めると、歌ってる目の前で二階席から体を乗り出して、ヤクザ同士が怒鳴りあう。

「コラア、なんじゃいワレ。上へあがってこんかい！」

「キサマこそ降りてきて詫びいれんかい！」

先輩たちは慣れているのか、平気で演奏を続けている。

「きたぐにのまーちはーつめたーくとーおおいー……」コワいよー。

やれやれ、やっとステージが終わって休憩で外に出ると、さっきの組員たちが十五、六人路上に座っている。ギョッとすると組員がこちらを見て、

「バンドさん休憩ですかー」なんて呑気な声をかけてくる。

先輩たちは平気で、

「やあ、話ついたんですかあ」

「いやあ、むこうの組の代表者とウチと話つけとる最中でねえ。ワシら待っとるんですわあ」

などと世間話みたいに話してる。

「センパイ怖くないんですか」

「あれが奴らの仕事だよ。オレたちはバンドが仕事。関係ないよ」

まあ、そりゃそうだけど、こんな店でいつまでやんのかなあー。

夢は捨ててないけれど

昼はバンマスの家で練習、夜はクラブで四十分四回のステージ、家に帰ってウイスキーをチ

ビチビなめながら朝まで作詞作曲、昼前まで寝る、という生活がしばらく続いた。

ちなみに、俺のバンドマン初任給は一日七百円である。見習い期間はすぐ終わり、九百円、千円と一年の間に上がっていった。

楽器店の給料が一万八千円、いろいろ引かれるものも多かったから、このギャラはひと月で換算するとまずまずのものだった。

送迎はバンマスがしてくれるし、遊ぶ時間も仲間もいなかった。

大好きなウイスキーは、ハイニッカダブルサイズが千円。それを大切に、毎日きっちり半分飲んでいた。水割りなど考えもしなかった時代だ。コップになみなみとついで飲むのが好きだった。今と違って二日酔いなどしなかった。

俺、いつ東京に出ようかな、なんて考えながらも、このバンド生活が結構気に入ってきた。ギターと歌が上達するにつれ、バンド内での立場が、先輩たちと逆転してくることに気が付いていた。

バンマスや先輩も、俺をバンドの「スター」として扱ってくれるような気がして、だんだん居心地がよくなってきていた。

山陰放送、テレビのレギュラーの仕事が入ってきた。

今では考えられないが、一社提供の一時間バラエティー番組「マルイ○×作戦」。マルバツとは読まない、オーエックス作戦だ。

現在、この番組を知っている山陰放送の社員はひとりもいない。しかしこの話をすると、「アー、あの伝説の番組ですね」と答えが返ってくる。そのレギュラーバンドでベースを弾けというのだ。

毎回三組のファミリーが出演、一部がクイズ、二部が家族歌合戦、三部は松竹芸能のお笑いタレントコーナーとゲスト歌手、という構成で、その二部でバックバンドを務める。

当時、こんな豪華番組が地方の一社提供でよく出来たものだと思う。毎週土曜日の午後一時、生放送だ。

俺たちバンドがオープニング曲を演奏すると、キャピキャピのダンサーがレオタード姿で踊りだす。レギュラー審査員、伊東秀樹先生の伊東バレエ団のダンサーたちだ。

家族歌合戦といっても、時間が限られているから、各組代表が一曲ずつ歌う。たったそれだけの演奏で七千円もいただけるおいしい仕事だった。しかもトッパライ（現金）で生放送だから、自分の出番が終わったら、大好きな芸人のお笑いが目の前で見られるし、確実に二時には仕事が終わり、すぐ帰れる。

なによりもおいしかったのは、たまにある地方公開放送だ。

鳥取県、島根県の郡部の学校体育館や、公民館などで行われるのだが、これが一日二本録り、ゲストの芸人や歌手も当然二組入る。

この場合は録画なので現地往復入れて一日がかりだが、ギャラは倍になる。

慣れないベースの仕事でヘ音記号が読みづらいので、ト音記号で譜面を書いてもらっていたが、ベースの音のつながりが面白く、これがのちに編曲の仕事にとても役立った。

もうひとつ勉強になったのは、伊東秀樹先生の発案で、オリジナル曲をギター弾き語りで新作バレエを作る、という話が持ち上がり、「女三題」というテーマで、すでに出来上がったバレエの振り付けに、あとで作詞作曲をはめ込む作業をした。そしてこの番組のレギュラーダンサー三人のバレエで発表した。

とても難しい仕事だったが、これはバレエの世界では初の試みだったそうで、作曲の上でとてもいい経験だった。

この伝説の番組は一年で終了したが、その後もＣＭや番組テーマ曲など、次々と仕事が入ってきたので、楽しい反面、東京へ行くという夢が薄れそうで不安でもあった。

このまま田舎のバンドマンで終わるのだろうか……。

世界のウエダの運転手に

バンドの先輩に、長髪にサングラス、いつもグレーのタートルネックセーターに黒ブレザーという、ちょっと変わった雰囲気の人がいた。トミさんといった。

もっともバンドマンなんてもともと一風変わってはいるのだが、トミさんはなんとなくアーティストっぽいルックスで、ハワイアンバンドのアロハシャツが全く似合わない人だった。

「石田、俺の家に遊びに来いよ」

トミさんに言われてホイホイ行ってみた。

なんだかガラクタが部屋の中にゴロゴロ無造作に置いてある、山小屋風の家だ。

当人に言わせると、ガラクタでなくて骨董品なのだそうだ。

「石田、昼間遊んでいるなら俺の仕事手伝えよ。俺、近い将来、商業デザインの会社を興そうと思ってるんだ。お前のような作詞作曲の能力を持った奴は、その方面でも才能を生かせると思う。お前だって彼女と結婚したいだろう。お前の両親も年だ。音楽は趣味として残しながら、そろそろ将来の生活ってもんを考えたらどうだ」

強制的な言い方ではないが、現実、俺に迷いが生じていたのも確かだ。

高校時代、十六歳で結婚の約束をした彼女との将来のことも悩んではいた。

子供の頃には漫画家になりたいと思った時期もあったほど、絵を描くことも好きだし、まあ面白そうだからとりあえずやってみるかな、ということで手伝うことにした。

喫茶店のドアにカッティングシートを貼ったり、ペーパーフラワーを作ったりの小さな仕事だったが、それなりに楽しい。

トミさんはもともと写真家でもあり、「世界のウエダ」、植田正治先生の門下だった。

「石田、デザインを学ぶ上で写真の勉強も必要だ。植田先生が専属の運転手を探している。免許も取らせてくれるからちょっと修行して来いよ。俺が会社やるときは呼び戻すから」

ま、写真に興味はないが、免許取らせていただけるなら、と植田写真館に勤務することになった。

世界のウエダ、植田正治先生は、山陰の暗さを全国に広めた大家であるが、自宅は境港市で、俺の自宅のすぐ近く。運転手にするには打って付けだ。

昼間は写真館の暗室でカラー現像の仕事、先生の移動時は運転手、夜は相変わらずバンドマン、夜中はウイスキーで作詞作曲と、ハードなスケジュールになったが、そこはいくらでも若さでカバーできた。

ただ、年中睡眠不足だから、暗室で真っ暗状態になると、つい熟睡してしまい、現像を失敗することも多かった。

まあ、それは終わった話として。

植田正治先生の弟子といえば、当然みんな写真家志望で、先生の機嫌を損ねるとコンテストで入賞できない、なんて言ってピリピリしていたが、俺は腰掛け気分の運転手だから、なーんにも気を使わない。

「石田くんは写真をやらんのかね」

「はい、僕は写真が嫌いですから」

「ホ〜、お前は写真が嫌いかあ。それはなんでだ」

「だって、目で見た感動が印画紙に残せると思いませんから。心に残すしかないと思うんです」なんて生意気な口をきいていたが、さすがに「世界のウエダ」は鷹揚に、

「そうか、印画紙には残らんかあ。なんでお前は儂のところへ来たんだよ。まったく困った奴だな」とワハハと大笑いした。

後年、先生が他界された後、先生の車のカーステレオには、俺の作曲した石川さゆりの「長良の萬サ」がいつもかかっていた、と聞き、胸が熱くなった。

「石田くんも立派になったもんだなあ」と、いつもおっしゃっていたそうだ。

先生、あの時は生意気言ってすみませんでした。俺の言いたかったのは、

「植田正治先生でなければ、感動を印画紙に残すことはできない」

そういう意味だったんですよ。

インチキデザイナー誕生

一年半で植田先生のもとを離れ、トミさんの新会社の発足スタッフとなった。トミさんという呼び名を改めた社長と、ほとんどデザインの基礎知識も知らない俺を入れて四人という素人チームの無謀な船出だったが、みんな新しい広告媒体の制作者になるんだ、という情熱の塊だった。

しばらくの間は音楽を忘れて、新しい仕事に専念しようと、これまた寝る時間を惜しんで熱中した。

バンドマンじゃ、結婚したい彼女の親にお願いしても到底許しは出ないだろう。まずはこの仕事で一人前になってお願いに行こう、と考えていたので、ますます力が入って、何でもかんでも吸収していった。

バンドマンとデザイナーの共通点はファッションが自由ということだ。別にダークスーツに身を固める必要はない。

営業に行くときも、肩までの長髪にサングラス、グリーンのブラウスにド派手なネクタイ、黒ブレザー、真っ赤なぴちぴちジーンズにブーツ、という普段着スタイルで、これにスケッチブックを持てばデザイナーになる。

特に相手が若い経営者だと、このスタイルがよけいに信頼感を持つようだ。

たいした知識もないまま蘊蓄（うんちく）をたれて、会社に帰ってからみんなで制作プランのミーティング。これどうやって作ろうか？　なんて客にしてみればアブナイ会社だが、素人なりのアイディアだけは面白く、苦心惨憺しながらも次々と新商品を作っていった。

やはり、もう東京での音楽は諦めて、この仕事に一生をかけてもいいな、と半分ぐらい思い始めていた。

そして、大好きな彼女と結婚しようと。

親父の死、上京断念

仕事も順調にこなせるようになり、ハッタリ半分ながら営業でアタフタすることもなくなり、俺を指名してくる仕事も増えてきた。

子供の頃から、土建業のオッサンたちの前で歌うことに慣れていた俺は、現場の作業員の荒くれオジサンを扱うことも平気だった。

今でこそそんな作業員はいないが、当時はムショあがりの人もいればアル中のおっさんもいた。でも、仕事は抜群に早かったし、スーツ姿で監督している俺にも優しかった。

大型看板の設置、ステージ作り、高所作業や力仕事はみんなお任せしていた。

雪の降る中、傘もささずに作業を続ける現場を見守り、ビショビショになって震えていたこともあった。作業員に、昼めしにしますよーも言えなくなり、

「アホだなあアンチャンは。仕事は俺たちがやるから、アンチャンは中で休んどればええんだよ」

と笑われたが、俺はそれができない人間だ。自分の仕事を人任せにするのはイヤだ。信頼できるプロの作業員であっても、見届けなくては気が済まない。

そんな俺だから、ワシャ何人殺してのォ、などと言ってるオッサンも、息子のような現場監督の言うこともよく聞いてくれたし、可愛がってくれたのだと思う。

二月の朝、会社に行く準備をしていると、親父がなにか話しかけてきた。

もともと血圧が高く、舌がもつれるようなこともたまにはあったが、今朝は特に聞き取りにくい。

「お父ちゃん、なんだか今日は特別舌がもつれるなあ」と言いながら会社に向かった。

会社まで三十分。

「石田、すぐ帰れ。親父さんが意識不明になったそうだ」

慌てて引き返すと、親父は炬燵で大いびきをかいている。

母親はオロオロして、俺の帰りを待っていたらしい。体は動かしていない。

近所の医者にきてもらうと、すぐ救急車を呼べと言う。

救急車で病院に運ばれ、即、緊急処置が施されたが、医者の顔色はよくない。

「脳出血です。親しい方にご連絡ください。今夜が山です。この山を越えれば三日間、また越えれば三日間と、三日ごとに山を繰り返します」

医者の言う通り、三回の山を繰り返して十日目の二月二十二日、息を引き取った。

この十日間、病院と会社を往復しながら、俺は絶望のど真ん中にいた。

二十歳の俺の肩に、すべてがドカンとのしかかってきた。

親父の希望で入った楽器店、夢捨てきれずバンドの道に入ったが、やはり将来を考えてスタートしたデザインの道も、まだまだ一人前じゃない。

もう音楽はできない。親父の看病を母親だけに任せるわけにはいかない。

俺が看るしかないだろう、結婚も無理だ。

病床の父親がいるところに、誰が嫁がせるだろう。しかも、何年かかるかわからない。

でも、生きていてほしい、どんな体でもいい、生きていてほしい。俺の言葉がわからなくてもいい、俺の名前が思い出せなくても、意識がなくてもいい、生きていてほしい。

運転しながら、涙がとめどなく流れた。

死の恐怖と、生への儚い希望とがぶつかり合って、体の震えが止まらない。

精神的にも体力的にも母親の限界かな、と思える十日目、そろそろ危ない、という三度目の危篤連絡で病院に駆け付けた。

すでに点滴の針を刺す箇所がなくなり、足を切開して血管と点滴の管をつないである。

それを見た途端、ああ最後だ、と全身の力が抜けて行った。

もう親父、楽になりたいよな。点滴、毎日嫌だったもんな。力いっぱい暴れるのも疲れただろう。親父もういいよ、もういいよ。

一日中冷たい雨の降り続く葬儀。

長男である責任感も見栄も体裁もなく、俺はただ泣き続けた。親類の言葉もなにも耳に入らない。子供のように泣きじゃくっていた。

オヤジ、なんで僕を、僕だけを殴ってくれなかった。

普段は気の優しい、ニコニコ笑っている親父が、ひとたび酒を飲むと三日三晩飲み続け、暴れ続ける酒乱となり、母親や姉たちも親父の暴力をただ恐れて生きてきた。

俺が成人になっても、親父が変身することを恐れ、一緒に飲むことも出来なかった無念さ。飲みたかったよ。飲んで将来の話をしたかったよバカ野郎！

最後に生まれた男の子だから、どんなわがままをしようが、どんな悪口、口ごたえをしようが、ただ寂しそうに笑っていた親父。

高校生になってからは、さすがに俺も酔狂で暴れる親父に乗りかかって殴りつけるようになったが、どんなに酔っていても親父は俺を殴り返さなかった。

なんでだよ、なんでだよお父ちゃん。なんで俺だけ殴ってくれなかったんだよ。

死んだあと、お父ちゃんの拳の痛みを思い出すことが出来ないじゃないか。

一度でいい、殴ってほしかった。そのことだけを思い、ワンワン泣き続けた。

バンドや、仕事では他の二十歳より一人前だと思っていたが、親父の写真の前ではただの幼子になっていた。

金がなく、仏壇の買えないしがない長男は、黒アクリル製の仏壇を手作りし、丸に橘の紋章も作って貼り、残された喉仏のお骨を、これも透明アクリルで作った小さなボックスにいれ、一年後、ちゃんとした仏壇を買うまで辛抱してもらった。

お父ちゃん、デザインから制作まで、ひとりで作った、これがインチキデザイナーの仕事です。

第3章　再びバンドマンに

バンドマンへ逆戻り

親父が死んで一年目、三月、俺は結婚した。

ささやかな駅前料亭での披露宴のときは二十一歳だが、新婚旅行から帰ってすぐ二十二歳。今までの自分の部屋を、クローゼット、書棚はデザインして家具職人に直接発注、市価の何分の一かで作り付け、天井ピンク、壁ネイビーのクロス貼りは自分でやり、なんとかボロ部屋を新婚家庭らしくした。

バンドはずっと休業状態で、デザインの仕事に専念。朝出社し、夜は帰ってふたりで晩酌が一番の楽しみという、俺にとってたった一年足らずの、人間らしいサラリーマン生活が続いた。

なぜたった一年かって？　それはまたまた音楽への夢がぶり返してきたからだ。

安月給ながら、音楽以外特に趣味のない俺は、三十万ぐらいの貯金をしていた。

ある日新聞を見ると、「あなたもレコードが作れます。工場直接発注だから格安」なんて広告が目に入った。

親父が死んでこの一年、がむしゃらに働いた。悲しみを忘れるため、音楽を忘れるため、また、正業につかないと結婚の了解が得られるはずがない、と思ったから。

そうだなあ、ほんとに音楽を忘れていたなあ。作曲だってしばらくご無沙汰だ。

その当時大好きだったエンゲルトフンパーディンク、日本なら布施明、みたいな曲が書きたいなあ、と思ったら、すんなり書けた。

タイトルは「まちかど」というバラードで、歌っても心地いい。

俺もせっかく音楽を志したんだ、趣味の形でなんか残したいなあ。このままだと悔いが残りそうだ。

「なあ、音楽を捨てて正業についたけど、音楽をやっていた、という証に、一枚レコードを作りたい。貯金の範囲で作るから」

まあ女房もしぶしぶ同意。

バンドのメンバーはノーギャラ。スタジオなんかないからナイトクラブの昼間を使わせてもらい、録音は親しい町の電器屋さんで。

ちっちゃなミキサーに数本のマイクを突っ込んで、二チャンネルで歌と演奏同時録音。

ひどい条件だが、予算がない。

まあ、まがりなりにもなんとかレコードプレスに持ち込み、ジャケット写真は、植田正治先生の息子さんに頼んで撮影していただいた。ビートルズのジャケットみたいにしてね、と注文だけはつけて、印刷代を安くあげるために単色で。

待つこと五十日、やっと出来た。

ガクッ、ナンジャこの音は。カセットデッキで自動録音したほうがまし、という代物だが、まあそんなことでメゲる俺ではない。

平気でクラブなどにレコード持って歌いに行く。クラブではバンドで歌うからレコードの音なんかわからない。

どっちにしたってこのレコードは俺の記念盤、別にデビューするわけじゃないし、どうでもいいや。

いろんなこと言われたけど、ある公務員のオジサンが、

「音の良し悪しは問題じゃない。こんな田舎町の青年が、自己主張するために制作する、これが一番大事なことなんですよ。私はこの青年に会ってみたい」とおっしゃったそうだ。

そうだ、わかってくれる人はいるんだ、頑張るぞー。ってんで、記念にレコード作って終わりにするはずが、またまたやる気になってしまったんですなこれが。

で、再びバンドに出演するようになってきた。

タイミングというか、ちょうどその頃デザイン会社の社長との食い違いが起きた。もともと

誤解が原因ではあったが、会社を辞める引き金になってしまった。

のちに、関連会社の社長たちが、石田くんを手放すのは惜しい、ウチが面倒みる、とわざわざお越しくださったが、もうすでに気持ちは決まっていた。

よし、もう迷わない。やっぱりバンドで生きる、と。

バンドで生きる、と決意したせいか、今までの腰掛け根性でなく、バンドに対する姿勢が変わってきた。

今までの歌ってさえいればいいや、ギターが上手くなればいいや、という態度がガラリと変わり、お客さんを大切にすることを学ぶようになった。

新しく契約した会員制クラブに出演することになった。

もともと専属バンドはいたらしいが、客離れが激しく、うちのバンドに声がかかったようだ。大きくはないが、シックな落ち着いた店だ。ドラムのスペースがない、というのでちょっと乗り気がしなかったが、ギャラがデザイン会社時代の倍だ、と聞いて即ＯＫした。四十分三回でこのギャラは破格の条件だ。

初日、出勤したら、客がひとりしかいない。ホステスは五人ほどいる。

妙に目つきがするどく、右頬に斜めの傷跡、服装は濃紺に太めのストライプのダブルのスーツ、派手なネクタイ。

どう見ても筋ものにしか見えないその人はマスターの紹介によると一番の上客で、建築関係の社長らしい。

しばらく黙って俺たちの演奏と歌を聴いていたが、まあ一杯やれよ、と席に呼ばれた。

「俺は昔から大阪キタの新地で遊び倒してきた男だ。あらゆるバンドの入った店も歩いてきたが、君たちは本物だ。歌も、クラブ歌手にありがちないやらしさがなく、レコード歌手の持つ、素直な丁寧さがある」と、やけに絶賛してくれる。

「今日はどんなバンドがくるか、下見に来たんだ。これなら社員や友達に自信を持って紹介できる。明日から毎日来るよ」

本当に毎日来た。

建築業はもちろん、不動産屋、運送業、ビル管理会社など、連日同じ顔触れが押しかけてくる。たまに得体の知れない人もいるが、みんなスマートな遊び人だ。

前の店のようなヤクザは来ない。マスターが上手くやっているのだろう。

「バンドさん、○○歌ってよ」

「すみません、その曲知らないので、今度来られるまでに覚えておきます」

その日、店がはねたらすぐ、行きつけの店のジュークボックスに百円玉を放り込み、同じ曲を三回リクエストする。

手元のナプキンに五線を書き、イントロから歌のメロディー、歌詞まですべて書き取ればこれで終了だ。明日きちんと譜面を書き直して歌を覚えて行けばいい。

ホントに翌日、そのお客さんが友達引き連れてやってきた。

「バンマス、今日書いてきた曲やろう」

即、歌い始めた。

「エーッ、昨日のリクエスト、もうやってくれるのかあ。よく俺の顔覚えていてくれたなあ」と、大喜びで友達に自慢している。

そのお客さんも、俺の大贔屓になった。

このやり方は、その後もずっと続けた。

知らない曲があることは、プロにとって恥ずかしいことだ。それを覚えることができるし、お客さんは大ファンになってくれる。まさに一石二鳥とはこのことだ。

今までの、ただバンマスの言う通り歌っていればギャラがもらえるという考えが、次第にお客さん中心に考えるようになってきた。

一度、外の世界の空気を吸って、「営業」の必要性を覚え、バンドマン、イコール接客業という意識が高まっていったのだろう。

お店が次々変わります

ファン、といっても特定の遊び人の男ばかりだが、増えていくにしたがって、この町の水商売仲間の間で、俺とバンドの存在は話題になっていったようだ。

あの店に、ギターと歌の上手い奴がいるらしい、バンドが目当てで毎晩あの店は超満員らしい、一時はつぶれかけた店のマスターも最近ずいぶん羽振りがいいらしい。

噂が夜の街を駆け巡り、バンドはいろんなクラブから声がかかるようになった。

この会員制クラブで、ちょうど一年たった頃、バンマスから、「石田、店替わるぞ」と言われた。

エー？　なんでえ。お客さんも安定してすっごい気楽に演奏出来るのに、替わりたくないなあ、と思ったが、

「次の店はメンバーもサックスを加えて六人編成で演れるし、それよりもなによりも、石田、お前のギャラを倍にしてやる」との言葉に、

「ハイ、替わりましょう」俺は答えた。

そこは温泉地のホテルの中にあるクラブで、外部からの常連が掴みにくく、伸び悩んでいるクラブらしい。

常連がいない、というのは少し不安だったが、倍のギャラの魅力には勝てない。

ユニフォームまで店が揃えてくれる、という好条件だ。今まで可愛がってくれたマスターには申し訳ない気もしたが、やはり大きな店でいい音を出したい。

後ろ髪引かれる思いで店を替わったのだが、その後会員制のクラブの客は、全員俺たちバンドと共に新しい店に移動し、やがてその店は閉店したと聞いた。

のちに聞いた話だが、「あんなに可愛がってやったのに不義理しやがって。店の女にも全員手をつけやがって」と、さんざん悪口言われたらしいが、まあ根も葉もない話でもないので、俺は黙っていることにした。

新しいクラブでは、また新しい楽しみが待ち受けていた。

まず、バンマスのスチールギター、俺のエレキギター、ドラム、ベースに加えて、以前この店でバンマスをやっていたテナーサックスが加わり、さらにキーボードも入った。

これなら今までよりずっと充実したサウンドが出せるし、コーラスも厚みが出せる。

ステージも広く、音響照明も格段にいい。

支配人も、二十人ぐらいいるホステスさんも、みな好意的に迎えてくれた。

クラブ時代の俺のモットーは、客より先にホステスを味方につける、ということだった。その当時は、なぜかバンドマンは妙に威張っていた。俺たちバンドマンはお前らと違うんだよ、みたいな風潮があったが、俺は最初からまったく違っていた。

早めに出勤して、ボーイや料理長とじゃれあったり、ときにはスタッフみんなと賄いを一緒に食べたり、仲間意識が強かった。

俺が一番若いので、大人のバンド仲間より、年齢の近いボーイやホステスさんたちと世間話をしたほうが楽しかったのだ。

ホステスやスタッフと仲良くなると、そのホステスさんたちはお客さんに、

「今度のバンドのボーカル、とってもいい子よ、応援してあげてね」と宣伝してくれるし、お客さんも、「おおそうか、じゃ、休憩時間に席に呼んでやれよ」と言って、すぐに親しくなれるし、常連客になってくれる。

前の会員制クラブには来なかったが、ヤクザの客もいきなり増えた。

ヤクザは遊び人の代表だから、旨いもんが好き、女が好き、派手な生活が好き、そして何よりも歌が大好き。

まあ、流行る店にはヤクザが付き物の時代だったから、慣れたらあまり気にならなくなって

きた。

向こうも俺のファンになってくれて、何かと可愛がってくれるようになった。あんまり親しくしてほしくはなかったが、まあ、嫌われるよりはやりやすい。

ずっとのちに、このヤクザのひとことが、俺に転機を与えてくれるとは当時は思ってもいなかった。

ナイトクラブの客、といえば男性だが、なんだかこの頃女性客が増えてきた。

女性同士のグループでやってきては、賑やかに飲んで踊っている。服装は派手だし、髪も茶髪（今は普通だが）で、どう見ても素人のOLには見えない。芸者さんやソープランド嬢だという。

そうか、ここは温泉地だから、そういう女性客も来るんだな、着物着てないと芸者さんもわからないなあ。

「あの人たち、誰が石田くんをモノにするかって競争してるのよ。気を付けてね」って言われても、何を気を付けるのか？

「ネェ、ボーカルの彼ェ、飲みに行こうよ」

しょっちゅう誘われるようになった。

以前は、男性客が飲みに連れて行ってくれたのだが、今度は女性客に変わった。最初は警戒していたのだが、話してみると、みんな色んな過去を背負いながら自力で生きてきた人達だから、今まで知らなかった世界で面白い。

彼女たちが行く店は、男性ホストが多い店だから、俺も話していて友達のようで面白いし、同年代の若いマスターでも、話術がたくみで、一晩中話題が絶えない。これは実に勉強になった。

クラブのバンドというのは、司会も何にもしないで、ただ演奏をつないでいくだけだから、人前で喋る、というのが苦手なのだ。

カラオケのない時代だ。マスターもボーイもホステスも、客を飽きさせない努力をしていたものだ。

話題に詰まるとクイズ、またテーブルマジック、マッチ棒やグラスを使ったゲームなど、常に新ネタを仕入れていた。

「会員制のホストクラブができたから行こうよ。東京からカッコいい弾き語りの歌手が来てるの」ある日、そう誘われた。そりゃ行きますとも。

午後十一時開店、その名もイレブン。

十一時にバンドが終わる俺としてはベストタイミングの遊び場だ。

演奏は一時から、ということで、東京からきた「加賀武美」という歌手が登場。

タケミー！　という声援を受けて、銀色のタキシードに身を包んだＧＳ歌手のような歌い手は、チャカ、ポコ、というリズムボックスに合わせてギターを弾き始めた。

タケミは、歌は上手かった。レコードを出したこともあると言って、その歌も歌っていた。が、お世辞にもギターは上手くなかった。というより、弾き語りのギターの腕はその程度でよかったのかもしれない。

他のメンバーと合わせる必要がないから、少々コードが違っても、ミストーンを出しても、自分の歌の伴奏が出来ればいいのだから。

でも、客は大喜びしている。いろんな歌のリクエストにも応じている。

ウーン、何なんだろうなあ。この客を惹きつける魅力は。

都会的なマスクかなあ。俺が着たこともないギンギラの衣装かな。

いや、違う。トークだ。曲と曲をつなぐ間が素晴らしいのだ。リクエストを、ただハイ、と演奏するのではなく、必ず一言付け加える。リクエスターの名前を呼び返す、ダジャレを入れる、なにかクッションが入るのだ。

俺が今まで一度もやったことのないキザなセリフや所作が、実にサマになっているのだ。それがカッコいい。

このタケミとの出会いが、俺のステージ運びに大きな影響を与えた。

「タケミ、休憩時間にギター借りていいかい？」

「ああ、いいよ。本物のギター聴かせてよ」この一言がタケミのニクイところだ。

こうして休憩時間のたびにギターを借りて弾いたり歌ったりしているうちに、店のマネージャーから、声をかけられた。

「石田くん、どうせいつも遊びに来てるんだったら、仕事してくれないかなあ」

「だって、タケミがいるじゃないですか」

「だから、タケミと交替でやってよ。彼は契約切れたら東京に帰るし」

俺は思った。もうすぐ子供も生まれる。家には電話がないから欲しい。車も買い替えたい。

チャカポコマシーン相手の弾き語りは好きではなかったが、この際稼ごうか。

八時二十分から十一時までクラブ、ゆっくりメシを食って一杯飲んで時間をつぶし、深夜一時から五時までの五回ステージ。

どうせいつも遊んでる時間だ、つらくはない。タケミと三十分交替だ。

ステージの休憩時間、タケミは要領よく客席を回って女性客を喜ばせている。俺はというと、ひとつのボックスに座ると、三十分間じーっと身の上話に耳を傾けているだけ。

俺はホストじゃない、バンドマンだ、という意識がどこかにある。

タケミともよく話をした。

「石田くん、歌もギターも、俺なんか問題にならないくらい君が上手いと思うよ。お客さんも皆そう思ってる。ただね、バンドと弾き語りは決定的に違うんだよ。ギター一本じゃレコードのような演奏は絶対できないんだから、弾き語りはそれなりの個性とアレンジで聴かせるしかないんだよ」

「うん、俺もタケミを見ていてわかってきたよ。俺にはタケミのような話術で惹きつけることはできないしね」

弾き語りバイトもひと月過ぎた。

「石田くん、専属になってくれないか」

「え？　だってタケミは？　俺は彼のような上手な客あしらいは出来ないよ」

「そこなんだよ。石田くんは地元の人間だから、客の話をじっくり聞いてあげるだろ。タケミはさ、結局いつか東京に帰る人だから八方美人で真実味がないんだよ。みんなそれに気付いて、飽きちゃってるんだよ。現実は演奏技術も人間性も、客はみんな石田くんが好きなんだよ」

ウーン、難しいもんだなあ。てっきり俺はタケミの添え物だと思っていたんだけど。

結局、とりあえずひと月契約延長したが、ホスト兼任みたいな仕事はやっぱりイヤになって、それ以上は契約しなかった。

そんな時、また新たな店の話が舞い込んできた。

クラブの常連のひとりに、ヤクザの幹部でアッチャンという歌好きの客がいた。

アッチャンは顔は怖いけど、絶対威張らないし、金払いはいいいし、特に女にはメチャクチャ優しくて、ホステスにもとても人気があった。

「石田くん、今度ワイの経営するレストランを、深夜のサパークラブにするんよ。ワイもやるからには、この山陰でナンバーワンの店にしたい。バンドマンも最高のメンバーを集めたいんじゃが、来てくれんかのお」

すでに決まっている他のメンバーを聞いて、すぐ気持ちが決まった。ずっと同じバンドでぬるま湯に漬かっていたから、違う腕利きのメンバーとやって、腕を磨きたいと思っていた矢先の話だった。

深夜十二時演奏スタートだから、クラブの仕事はそのまま続けられる。

伝説の店「白宝」

米子市街地と皆生温泉のちょうど真ん中に、その店「白宝(はくほう)」は開店した。

この、たかが十四万人の田舎町で、これほど隆盛を極め、短期間で消えて行った店はないだろう。およそ「遊び人」を自負する近在の人間で、この店を知らない人はないだろう。そして、今も記憶に残っているだろう。

　バンドの初期メンバーは四人。東京でジャズメンだったテナーサックスの小林正明。広島でその名を馳せたベースマン、ピアノもこなす崎山明、通称サキさん。ドラムは、ホテルでの各国ショータイムを経験し、譜面初見を得意とする竹井正。そしてギター、ボーカルの石田光輝のカルテットだ。

　一度の練習もなしに寄せ集めたメンバーだから、初日から「なにやる？　とりあえずカレッパ（枯葉）でもやるか」てな調子でスタートしたが、小林さんの持ってるジャズのスタンダードメモリーで演奏はＯＫだ。

　ベテランの小林さん、サキさんは別として、若いドラムのタダシは、売れっ子バンドから来た俺に多少反感を持っていたようだ。

　きちっと決まったメンバーに守られて、前立ちボーカルの座を与えられ、スター面している嫌な奴、と思っていたらしい。

　でも、あれやろうよ、これ演ってみようよ、とミーティングを繰り返したり、実際に演奏しているうちに、こいつとなら楽しくやれるな、と思ったという。

　このタダシとは、のちに新バンドを結成し、俺が引退を決意するまで一緒にやることとなる。

おもいあがり

白宝の店内は、ここが米子市かい？と錯覚を起こすほど素敵な装飾とムードだった。

まず、ステージバックが目を引く。

全面鏡貼りなのだが、ブロック状に組み合わされたミラーは、どの角度からもお客様の顔を映すことはなく、また、バンドマンの背中も映さず、天井のミラーボールやスポットライトなどを反射することなく調節されている。程よいルクスの照明、けばけばしくならない程度の豪華さを持つ調度品、テーブルの間隔はゆったりとしていて隣席の会話が気にならず、すぐホールに踊りに出られるスペースがある。四、五人掛け円形テーブル十席、八人ゆったりのソファーが二席。厨房から直接つながるコの字カウンターには、楽に十五人は座れる。

そして、バンドと同じく社長自らスカウトしてきた七、八名のボーイは、全員前髪にボリュームを持たせたリーゼントの黒服蝶タイで、ひと癖ありそうな二枚目を揃えている。

ホストクラブではないのだが、女性ひとり客でも淋しくない体制を整えてある。

なによりも、この店の自慢は料理。

深夜サパークラブ、といっても、これまた社長セレクトの洋食コックが四人もいる。

この手の店にありがちな、恰好ばかりのお粗末な料理ではない。ハンバーグステーキ四千円、トルネードステーキ八千円と、目の飛び出そうな値段だが、その価値は充分ありだ。

しかし、これにボトルキープが二万から三万はするので、バランスとしては合っているのだが、昭和五十年の田舎町「ヨ、ナ、ゴ」の話である。しかもこれにバンドチャージ、リクエストチャージ、席料などがつくのだから、とんでもなく高い店だ。

ところが、この店が連日超満員の店となった。

俺たちは十一時までのクラブの仕事を終えて、十一時半にはこの店の控室に入り準備をするのだが、すでに客席は満席。ステージでセットしている俺たちをみて、

「石田ちゃーん、早くやってねー」

なんて盛り上がっている。

十二時ジャストに始まるワンステージ時には、もう四回ステージまでのリクエストが〆切、なんて日もあった。

ワンステージが終わるや否や、控室にはボーイが飛んでくる。

「石田さん、〇番と〇〇番のお客様ご指名でーす」

「石田さん、電話入ってまーす」

休憩時間は二十分しかない。すっと客席に座った俺たちは、ごく当たり前のように客のボトルに手を出し、勝手にダブルの水割りを作っては「イッタダキマース」。頃合いを見計らって

次のテーブルで「イッタダキマース」。

次の休憩時間もこの繰り返しだ。

ボーイさんたちもやたらとバンドを持ち上げるし、ママさんも社長も、自分の接待客を前に、やたらとバンド自慢している。

バンドがいいから客が来る、俺たちのおかげで店は流行っている、そんな思いあがった感覚が、知らず知らずのうちに身についてきてしまった。

自分ではそう思わずに、口の利き方が生意気になり、態度が横柄になっていた。

「ネェ石田さん、バンドが終わったらデートしない?」

「ハァー俺とデート? 何言ってんの。あとワンステージで終わりだよォ。今日のデートの相手なんてとっくに予定があるに決まってるだろォ。今頃言うなんて非常識だよ」

非常識はどっちだ。

こんなことを平気で言うようになると、もう手が付けられない。

相手がヤクザだろうと社長だろうと、酒の酔いに任せて言いたいことをずけずけと言うので、ボーイたちはいつもハラハラしていたそうだ。

毎日、仕事中だけでウイスキーのボトルを一本空けていた。

本当はビールが大好きだったが、歌うときにゲップが出るとマズいので、ビールとおかき類は口にしないでいた。

で、朝四時にステージが終わると夕方のサラリーマンと同じだ。美味いビールを飲みに行く。

普段は午前三時で閉める焼き肉屋に直行。あらかじめ石田が行くからと、ボーイに予約を頼んである。しかもこれがほぼ毎日。

焼き肉屋の夫婦が疲れて眠ってしまうまで食べ続け、飲み続ける。食べるのはパイプ（牛の小腸）のみ。脂のかたまりだ。

ある日、焼き肉屋のマスターがポツンとつぶやいた。

「アンタラ、コンナモン、サンジュウニチモ、ヨウタベラレルナア」

韓国人もビックリだが、食べ続けた俺もビックリだ。マスターはどこまで食べ続けるかずっとカレンダーを見てたらしい。アホや。

このパイプのせいにするわけではないが、徐々に体調が悪くなってきた。

バンドリーダーになりたい

クラブの仕事と、この深夜の白宝の仕事を続けるうちに、ドラムのタダシが所属する、ホテルバンドの若いメンバーたちとも接触するようになった。

中でも、東京から帰ってきたという仲春樹に、俺たちは大きな影響を受けることになった。そして彼はのちに、俺の生涯の音楽相棒となることになった。

仲春樹は、もともとジャズサックス奏者を目指して、東京で大学に行く傍ら渡辺貞夫ジャズスクールで学び、在学中すでにプロとしてステージに立っていたという。

長男であるところから、両親に強く懇願され、しぶしぶ松江市に帰郷、地元のホテルマンになったのだが、東京で思っていたホテルマンと、地元の大型温泉旅館のそれとは大きくイメージが違い、悩んでいたらしい。

そのホテルにタダシが所属するバンドがいて、たまたま一緒に演奏したところ、メンバーの強い希望でバンマスになったらしい。

ときどき一緒にプレイするようになったが、頑固すぎるほどの音楽に対する真摯な姿勢、小柄な身体いっぱいに奏でられるアルトサックスの音色、若々しいフレーズに、俺たちはみな仲春樹ファンになった。

白宝での小林さんのスタンダードなテナーサックスに耳慣れた俺には、ジャズというジャンルに拘らず、カッコいい音楽をやろうよ、という姿勢に、とても魅力を感じた。

楽器店で悩み、バンドに入れてくれたバンマスとの勉強は、自分自身では限界を感じていた矢先だった。俺も自分のバンドを持ちたい、と強く思うようになっていた。

白宝のぬるま湯の中で、スター面して遊んでる場合じゃない。

たしかに、白宝ではとても多くのことを学んだ。その前のホストクラブで出会った加賀武美の持つ芸風が役に立って、沢山の集客につながったし、他のメンバーとの演奏でジャンルやレパートリーもぐんと広がった。

長期間、クラブでの演奏を続ける間に、少しずつ考え方も変化していた。

土日など、クラブではショータイムと称して、歌謡ショーを頻繁に行っていたのだが、そこに出演する歌手が、レコードは出しているものの、一度もテレビでお目にかかったことがないし、なんとなく「地方回りのアカ」みたいなものが付いているのを感じていた。

そういう歌手を連れてくるマネージャーは、必ず俺に声をかけてきた。

「僕、細川たかしをスカウトして、ちょっとした行き違いで逃しちゃったんだよ。君なら中条きよし以上の歌手になれる、僕に体を預ける気はないかい」

「あんな色男じゃないし、田舎臭いし、俺なんか無理ですよ」

そんな誘いは毎回だったので、いつも店長に断ってもらっていた。

売れない歌手を見るたびに、歌手に対する羨望感が薄れていったのだ。

俺は田んぼの中で歌ってる田舎のクラブ歌手かもしれないが、君たちよりはるかにいいギャラをもらい、いいファンやお店に囲まれて、家族を養っている。そんな自負心が「東京」という夢を消し去っていったのだ。

それよりも、せっかくここまでやってきたんだ、最終目標は、山陰一、いや中国五県一のバンドを自分の手で作りたい、と強く思うようになっていた。全国一という考えは、いくら思い上がりの俺でも持ってなかった。

仲春樹、通称仲ちゃんは、東京のバンド経験者だが、田舎のプレスリーの俺と違って、贅沢を知らない男だったから、俺が連れて行く料理屋などは、涙を流さんばかりに喜んでくれた。

「仲ちゃん、フグ食いに行こうぜ」

「今日はしゃぶしゃぶにするかい？」

「仲ちゃん、スッポン食ったことある？　それとも寿司屋のほうがいいかな」

仕事終わるたびにこれだったから、

「なんで石田くんの仕事はこんなにいいんだよォ」と言われるたびに、

「なあ、仲ちゃん、俺はお前には音楽性は敵わない。でも俺にはギターと歌がある。そして好条件の仕事を取る人脈がある。俺がバンマス、仲ちゃんがメンバー指導を兼ねたコンマス、そしてタダシがメンバー間を取り仕切るジャーマネになったら、最高のバンドができるぜ。それまで待っててくれよな」

と、いつも飲みながら話していた。

その日は意外に早く訪れた。

突然、仲春樹が、また東京に出たいと言い出したのだ。

自分の心を抑えながら、ホテルのバンドに甘んじていたのだが、ついに爆発したらしい。絶対にニューヨークに行ってジャズを勉強したい、というのだ。

俺はわかるよ、仲ちゃんの気持ち。俺とおんなじだもの、わかるよ。

仲ちゃんと一緒にバンド組みたかったけど、やっぱり目的意識が違う。こんなところで自分を偽るものじゃない。仲ちゃん、君はやっぱり行くべきだよ。

さて、問題は残されたバンドだ。

タダシが真剣な面持ちでやってきた。

「石田君、仲ちゃんのあと、バンマスになってくれないか」

ウーン、そりゃバンマスは夢だけど、今二つのバンド掛け持ちで、両方別れを告げなきゃいかんし、店との契約あるし、急に言われても心の準備がなあ……。

「今すぐ、とは言わない。けど、二カ月先にホテル内に新しいクラブが出来るんだ。百坪の店で、今まではショーのバックバンドだったけど、そのクラブなら石田君の好きなことが出来る。考えてくれ」

ウーン、こりゃ解決しなけりゃいかん問題が山積みだなあ。しかも短期間で。

もう子供もいたので、ホテルの仕事で安定した収入はありがたいけど。タダシが言うことには、町一番のホテルのバンドリーダーだから、今みたいな遊び放題は謹んでほしいというのだ。

そうだなあ、もちろんそれはわかるけど、まずは二つのバンドとの別れ話、あと何個別れ話が必要なんだ。まあ、あの娘は残してあの人はわかってくれるかな、でもこっちは難しいなあ……そんなこと考えているうちに、ついに俺の体は悲鳴を上げた。

その日の白宝のステージも、じくじく痛む腹部と背中、加えてかなりの熱に脂汗をかきながらなんとか演奏していたが、三ステージでついに痛みで立てなくなった。四回めのラストステージは椅子に座って演奏を終え、朝一番で近くの病院に駆け込んだ。

「亜急性膵炎」。急性と慢性の間の症状、ということで即入院。

慌てたのは俺だけじゃない。すぐ新リーダーを迎えてスタートするはずだったメンバーも、俺と交替して東京に行くはずだった仲春樹も、専属になるホテルも予定が変わり大騒ぎ。急遽スケジュール調整を行った。

仲春樹は引き継ぎのひと月契約に加え、もうひと月追加契約。

ホテル側は、契約上、一日も出演していない俺にリーダーとしてのギャラを払わなくてはいけないし、追加出演となった仲春樹にも同額のギャラが必要。

俺は入院したのはいいが、見舞いに来るバンドのメンバーは皆カーリーヘアーにピアスの連中だし、仲のいい水商売関係の女の子も派手。ただでさえ大部屋で他の患者に気を使っているところに、六本木から俺のコネでひと月だけ来ているゲイボーイのプティまでやってくるから、もう休んだ気がしない。

ヤクザの白宝の社長も来れば、ホテルの社長も来てくれて、「そんな体じゃリーダーは無理だろう、もっと休め」なんて言われると、もう落ち着いて入院なんかしていられない。

俺は医者の言いつけをキッチリ守り、驚異の回復力で二週間で退院した。

というとカッコいいが、実は夜こっそり抜け出してデートして朝帰ったら、看護師に見つかって、そんな元気があるなら退院よ、となった次第。

なんでもいいや、退院だあー！

たった二週間でも、ステージから離れていた俺は、世間から見捨てられ、忘れ去られたようで不安でしょうがなかったのだ。

退院したその晩から、俺は新バンドリーダーとしてスタートした。

まだ、七分粥しか食べてはいけない状態だったが、ステージに立つと生き返った。

バンド強化期間として、前リーダーは予定通りふた月延長が認められ、以前からのレパートリー、そして俺の新しいレパートリーを加え、毎日昼は練習時間とした。

若いメンバーでスタートしたバンドは、今まで先輩たちの中で演奏してきた俺には新鮮で、やる気満々になった。

俺は、リーダーとしてのモットーをそれらしく訓示した。

一、アルバイト禁止。バンドだけで食えるよう腕を磨け。

二、どんなに遊んでもいいが、絶対にステージに穴をあけるな。

三、バンドマンはバンドマンらしい恰好をせよ。サラリーマンに見えることなかれ。

なんて偉そうなことを言えるタマではないが、一応リーダーになった以上、決めるところは決めなければ示しがつかんと、意気込んでいた。

二か月後、前リーダー仲ちゃんもめでたく一流ジャズメン目指して再び上京した。本当の意味での、新リーダーとしての仕事が始まった。せっかく自分のバンドが持てたのだ。カッコいい名前を付けなきゃいかん。いかにもホテルの専属バンド、ニューグランドメイツじゃいやだ。しかしネーミングの苦手な俺、すったもんだした挙句、結局決まったのはNGM。ただ頭文字を並べただけだが、まあ一応新しいからいいや。これからやるぞ！

レパートリーは全く節操のないバンドとなり、何でも屋。

ジャズのスタンダードはもちろん、ラテンロック、ソウル、GS、歌謡曲、演歌、東南アジア民謡……なんでもこだわりなくそれぞれ手抜きせず演奏し、歌った。

唯一、仲春樹が「カッコいいからこれやろう」と一生懸命練習して残してくれた財産、スティービーワンダーの「サーデューク」だけは苦手だった。演奏はバッチリだが、俺の歌が下手くそ。この曲だけは別のボーカルが欲しかったなあ。

ホテルのクラブは、ワンステージは暇なことが多い。その日もお客さんは一組、カップルが最前列に座っているだけだった。

俺たちは客が少なくても手抜きはしない。

「よし、あのカップルの幸せを願って、一生懸命この曲を捧げよう！」とか言いながら、ダウンタウンブギウギバンドの名曲「身も心も」を一曲目に演奏した。

「身も、心もオー、身もオーココロもおー、一つに溶けてー今あー」

一曲めだというのに、最高に乗ってきた。間奏のギターアドリブもいつもよりハートフル、ボリュームもギンギンに上がってきた。

いいぞ、今日の演奏は、あの二人の心に沁みるだろうか……と思ったら、「うるさいねえ」さっと席を立って帰ってしまった。ガクッ。

後で考えりゃ、そりゃまあそうだよな。二人で静かに飲みたかっただろうにね。

バンドで出したまぼろしのレコード

リーダーになってほどなく、ホテルの別棟に独立したクラブ・ヴェルサイユが開店した。

バンドとショーが売り物の、百坪のフロアーを持つ本格的クラブ誕生、ということで、また例によってバンドファンの客で連日超満員の店となった。

今までの店と違い、お客の歌のバック演奏はしない。あくまでバンドのサウンドとダンス、そして各国のショーで楽しんでいただく、という方針で、俺たちＮＧＭも張り切ってレパートリーを増やしていった。

俺もバンマスとして、メンバーにやる気と誇りを持たせようと、出来るだけ自分たちの演奏したい曲を提出させ、それぞれのパートを活かすよう心掛けていたが、どうしてもボーカルである石田のバックバンド、という感覚が離れないメンバーもいて、まれに控室で衝突することもあった。

まだ二十七歳のバンマスである。短気な俺は、諭す、ということが苦手だから、二言目には「イヤならやめちまえ！」と怒鳴るだけ。あとはマアマア、と仲裁に入るのがドラムのタダシの役割で、なんとか上手くやっていた。

メンバーにスター意識を持たせたいなあと思った俺は、レコードを出すことにした。

たまたまオリジナルとして演奏していた、「もう少しそばにいて」という曲が評判がよく、お客さんから「誰の歌？　レコードはないの？」、などと反応があったので、よっしゃ、レコードを作ってジャケットにカッコいい写真を出せば、メンバーの意気も上がるだろう、と考えたのだ。

評判になればギャラもアップするかもしれない、ひょっとしたら有線でヒット、などという甘い下心もあった。やはり、心の片隅にレコード歌手への憧れ、みたいなものは残っていたのだ。

東京へ行った仲春樹と、ジャズピアノの名手を助っ人に入れて、市内の楽器店のスタジオでレコーディングした。

もちろん、本格的なスタジオなどない時代だから、完璧というわけにはいかないが、以前作ってガッカリしたレコードよりは数段ましなものが出来た。

小さな夜の世界で、女性客に受けたこのレコードは、日の目を見ることはなかったが、のちに作曲家になろう、と決意する大きな材料になった。

このレコードは、有線がデジタル化になったと同時に廃盤となり、今は絶対に聴くことが出来ない。なぜならば、俺の手元に一枚も残ってないし、原盤テープも紛失してしまったから。

バンド引退の決意

クラブ・ヴェルサイユの仕事も順調で面白く、アルバイト気分で続けていた深夜のサパークラブの弾き語りも気楽でいい収入にはなったのだが、バンドリーダーを二年間続けているうちに、なんとなく吹っ切れない気分に襲われるようになってきた。

未来の夢、希望としてバンドリーダーを思い描いているうちはいいのだが、いざ現実になってふと考えると、これから先、俺は何を目指していけばいいんだろうという思いにとらわれる。

自分がバンドの親父になると、後輩に教えることばかりで、先輩から教わることも、機会もなくなっていく。

俺はまだ二十九歳、まだまだやりたいことがあるはずだ。でも、それがなんなのか漠然としてつかみどころがない。

このまま続けていけば、確かに収入は安定しているし、同年代の連中と比べても数倍は遊びも覚えたし、ファンもたくさんいる。

でも、本当に音楽をやっている、と言えるんだろうか？

二人目の娘も生まれ、俺はこの子供たちに父親の職業は音楽家、と胸を張って言えるんだろうか。そんな疑問が日増しに膨らんでいく。

もう限界なのかもしれない。俺の持っている実力、歌手としてもギタリストとしても、結局この片田舎の人気バンドマン止まりなのかもしれない。

俺が昔入賞したヤマハのコンテストも、今や中島みゆきを生み、ツイストというスーパーバンドをトップスターに押し上げた。チャゲ&飛鳥がデビュー曲を大ヒットさせ、加山雄三やワイルドワンズが天下を取った湘南サウンドも、今やサザンオールスターズの新鮮な響きには色あせて聴こえる。「いとしのエリー」に至っては、これが日本人の書く曲かと衝撃を受けるほどの作曲センス。水準も高くなってきている。

俺はなにをやればいいんだろう。

しょうがないな、終わりにしよう。引退を決意した俺は、メンバーに告げた。

「今まで懸命にやってきたけど、俺は限界が見えた。この先何をやるかまったく決めてないけど、俺は一年後、三月三十一日で引退する。四月一日、三十の誕生日から次の人生を考えるから、その一年間の間に、俺がいなくても出来るバンド作りを意識してやってくれ」

メンバーは沈痛な面持ちで聞いていたが、俺の決意は変わらないとみて「頑張ります」と言ってくれた。

たまたま同時期に、同級生でプロ歌手をやっていたが健康を害して帰郷し、米子で自分の弾き語りを売り物としてスナックを開業した友達がいた。

GSの末期に大手プロからデビューし、テレビにもレギュラーで出ていたのだが、いかんせん時代がもうGSを必要としていなかった。すぐ解散となり、いろいろ芸能活動をやるうちに体を壊したということだ。

彼の店に何度か遊びに行くうちに、これもアリかな、と思うようになった。

これなら、今まで培ってきたノウハウが活かせる。少なくとも彼よりはギターも自信があるし、地元での固定客をつかんでいる。これまで可愛がってくれたお客さんに言えば、喜んで常連になってくれるだろう。

そう考えた俺は、即、行動に移した。

たまに店に来てくれた銀行の貸付係に相談を持ち掛けると、石田さんがやるならすぐOKですよ、という返事。

また、酒類販売店社長に話すと、「いやー、ぜひやってくださいよ、わが社が全額スポンサーになってもいい」とまで言ってくれる。

心は動いた。

一年後には自分の店を持とう。

そこで俺のギターと歌を活かそう。

そんな気持ちで、ほぼ九割がた決めかけていたときのことだ。

街角で、あるヤクザの幹部に出会った。

「おい、石田ァ、人から聞いたんやが、お前バンド辞めて店開くんやって？」

「うん、そうしようと思ってる」

「俺、お前が店始めたら、絶対行かんぞ。多分、土建屋や不動産屋のほかの仲間も、だーれも行かんと思うぞ」

……？　まあ、ヤクザは来ないほうがいいけど。

「なんで？　今まで俺が出てる店にはみーんな来てくれたじゃないの」

「あのなあ石田、お前なんか勘違いしとるんとちゃうか。俺たちがお前のこと好きやったんはなあ、お前が芸人やからやで。お前が俺たちを相手にしてアホなことばーっかり言って酒飲んで、上手いギター弾いて歌うたっとるからファンなんやで。お前が飲み屋のオヤジになって、カネ勘定してる姿なんて誰も見とうないわい！」

なーるほど、言われてみれば正論だ。俺が客の立場でもそう思うだろう。そうかー、俺の考えは甘かったなあ。やっぱり俺は芸人で生きるしかないのか。またまた考え直さなくてはいけない。ウーン、どうしよう、なにやろう。

……そうだ！　俺には作曲がある。今までまるで考えたこともない、作曲家という職業が浮かんだ。よし、作曲家になろう。それがいい。

全く単純な男である。

どうしたら作曲家になれるのか、そこまでは考えていないのだ。ただの思い付きで、お客さんにふれまわった。ボク、作曲家になるんです。そのためにバンド引退するんです。

なんの手掛かりもないのに、自分で言いふらした。

そして、バンド引退の日はあっという間にやってきた。

一九八〇年三月三十日、二十九歳最後の日、クラブヴェルサイユ閉店後、俺の送別会が行われたのだが、翌日からは無職の身だった。

バンド仲間、ショーの歌手やダンサー、ホールスタッフみんなで飲み明かした。

第4章　作曲家への道

そして作曲家の道へ

引退表明してから一年、いろんな葛藤もあったから、送別会の席で感傷にふけることもなく、いつものバカ飲み大会だったが、クラブの中村支配人がポツリと言った。

「で、石田くん、作曲家になるんだって？　なにかコネはあるの？」

「いいえぜーんぜん。明日から無職無収入になるから、とりあえず長年の夜の世界の垢を落としに、ギター一本持って隠岐の島にでも行ってゆっくり考えますよ」

「フーン、僕の東京の友人にそういう仕事してるのがいるから、聞いてみてあげようか」

まさに渡りに船とはこのことだ。

「ああいう世界の人はなかなかつかまらないから、明日、楽器を取りに来た時に電話してみてあげるよ」
オ、オネガイシマース。
翌日、俺の目の前で支配人は電話してくれた。

「あ、一発でつかまるなんて珍しいね。オレオレ、中村だよ」

エーッ、いたあ。

「うちのクラブのバンマスなんだけどね、作曲家になりたいって言ってるんだけど、どうすればいいのかな。フムフム、わかった。じゃあよろしくね。」

で、どうなんでしょう？

「あのね、彼ちょうど新人発掘の仕事してるんだって。とりあえずデモテープ送ってくれって言ってるよ」

な、なんというチャンス。しかも昨日の今日。

中村支配人に、今まで下げたことない頭をペコペコ下げて、すっ飛んで帰った。

さあ、今日から真剣に曲作りだ。なんとか五年以内に作曲家デビューするぞ！

店をやると言って喜んでいた女房に、やっぱり音楽をやりたいから、五年間だけ売り込みをさせてくれ、それで駄目なら今度こそキッパリ諦めて店をやるから、と言って了解を得たので、絶対五年以内にデビューしなければ、また話が逆戻りしてしまうのだ。


実は、なんのコネクションも方法も見つからない俺は、少し前から自分なりに売り込みの方法を探していた。

迷っている最中に、以前ちょっと勤めた楽器店で、一冊の本が目に留まった。『作詞作曲でメシを食うには』著者・北村英明。なんというタイムリーなタイトルだ。むさぼるように読んだ。

そこには、作家になるためのノウハウを始め、作者の失敗談、経験に基づく実例が多数挙げてあり、実にやる気を起こさせる内容のものであった。

いよいよそのノウハウを試す時が来たのだ。先にレコーディングした「もう少しそばにいて」と、ステージで演奏していた二曲をテープに入れて、中村支配人に紹介されたシンコーミュージックの徳岡氏に郵送した。

一週間過ぎた。何の返事もない。

二週間過ぎた。音沙汰なし。

ここで例のノウハウ本の出番だ。

「デモテープを送っても、返事はないものと思え。自ら電話せよ」と書いてある。

その通り実行だ。

「あのー、デモテープ送りました石田ですけどォー」おそるおそる電話した。

「あー、ごめんごめん、忙しくて電話出来なくてねえ。あの三曲聴かせてもらったよ。なかなかいいセンスしてるねえ。ただ、三曲とも三連のバラードだったから、もう少し違うパターンの曲も聴いてみたいね」

俺は燃えた。よーし、今度は全く違うジャンルの曲を作って送ろう。

ムード歌謡、フォーク、アイドルポップス、演歌、ロックと三日間で五曲を書き上げ、すべてアレンジして、かつてのバンド仲間を招集、バンド演奏のカラオケを作って歌い、送った。

今度はすぐに返事がきた。

「すごいね、それに早いね。バンドアレンジも出来るんだね。それぞれ面白く聴かせてもらったよ。今すぐこの曲をどうってわけにいかないと思うけど、また連絡するよ」

またノウハウ本を思い出す。

「売り込んだ曲がレコード化されることはまずない。デモは、あくまでも作家の実力を試すものである」

うん、今回は手ごたえあり。あとは待つのみだな。

また一週間ばかりたった日のこと、徳岡さんからの電話。

「石田くん、いい曲が書けたら、君のデビューのチャンスになるかもしれない。テイチクの、増位山のアルバム用の詞を送るから書いてみてよ」

エーッ！　もうデビューのチャンス？

しかも増位山？　現役の大関であり、天才的な歌の上手さから、歌手として大ヒットを連発。

特に夜の世界では、石原裕次郎、八代亜紀と並ぶファン層を持つビッグネームだ。

俺は、売り込みを始めて五年以内にデビューできなかったら、作曲家をあきらめるつもりだったから、たった一カ月でのこの話は、まさに青天の霹靂である。

やがて、一編の原稿が送られてきた。

封を切るのももどかしく、ふるえる指で原稿用紙を開いた。

「やがて雨　作詞・初進之介」

すでに、増位山の「だから今夜は」でヒットを飛ばしている作詞家だ。（現・建石一）

生まれて初めての、プロの作詞家の原稿だ。この詞に俺が曲を？

信じられない気持ちで一行目から読んでいくと、アレ？　一番読み終えると同時にメロディーが出来てしまった。二番目からは、もう歌いながら読んでいる。

横で、不安そうに見ている女房に、

「いいのかな？　デビュー曲こんなに簡単に書いてしまって」

聞かれた女房も迷惑な話だ。

「いいんじゃないの。出来たんだから」

プロの作曲家デビュー出来るかどうかの瀬戸際だ。もっと気合を入れて作るべきではないか、とは思うのだが、どう考え直してもこのメロディーがぴったりだ。

翌日またバンドを集めてデモテープを作り、速達で送り返した。

原稿を受け取って、二日間での早業である。すぐ電話があった。

「イヤー、早くて驚いたよ。いい曲だと思うけど、結論はちょっと待ってね。ところで石田くん、君の写真送ってくれないかな。スナップでいいんだけど」

写真？　なんでえ？　作曲家になるのになんで写真が要るのよ。不思議に思いながら、インスタントカメラで撮った写真を送った。

あっけない作曲家デビュー

それから暫く音沙汰がなかった。

少しばかり焦った俺は、来いとも言われないのに、徳岡さんに会いに行く、と連絡したら「ああ、待ってるよ」という快い返事だった。ウチに泊まればいいよ、とまで言ってくれた。

一九八〇年七月二十九日、忘れられない一日だ。

その前日、昼間は境港市のみなとまつりのイベントで、「西崎みどり・中山大三郎ショー」のバックバンドでギターを弾き、夜は弾き語りの店「プレジデント」で、新人歌手、マリーンのキャンペーンがあった。

そして翌日、東京へ行くために米子空港に行くと、昨日仕事をしたタレントが皆同じ便に乗るために集まっていた。

日舞の世界でも有名な西崎みどりは、皆が振り返る。きれいねー、という声も聞こえてくる。

一方俺は、喫茶の片隅でマリーンとお茶を飲んでいた。

「マリーン、あの人は有名なジャパニーズシンガーだから皆が振り返るねえ。マリーンも頑張って、皆が振り返るような有名シンガーになってね」

と、励ましていたのだが、そのマリーンがのちにジャズシンガーとして大成するとは思ってもいなかった。

二日酔い気味の作詞作曲家、中山大三郎先生は俺を見つけると、

「あれ？　昨日のギターさんじゃないか。東京へ行くのかい。何の仕事？」

と、気さくに声をかけてくださった。

「俺、先生のような作詞作曲家になりたくて、その売り込みのために東京へ行くんですよ」

「そうかー、頑張れよ。いつでも訪ねて来いよ」

のちに、レコード会社やパーティーで会うたびに、「ヨー、トットリケン頑張ってるかあ。東京には出てこないのか、そりゃ出てこないよなあ。あんな旨い空気や食いもんがあるところに住んでたら、東京なんか来る気になれないよなあ」

とか、

「鳥取県の作曲家石田光輝くんだよ。そのうちいろんな賞レースに出てくるようになるから、覚えてくれよー」

などと、周りの関係者の皆さんにアピールしてくださった。


さて、その年一番の猛暑の中、東京に着いた俺は、まずシンコーミュージックに行き、初対面の徳岡さんと合流、テイチクレコードへ行くこととなった。増位山のディレクター後藤さんが待っているという。

「いやいや、どうもどうも」

もう少し怖い人かと思ったら、後藤さんも若々しく、気さくな人だった。

まず、「やがて雨」のメロディーをほんの一部を修正しただけで、俺の作曲家デビューはあっけなく決まり、次の話題になった。

「石田さん、スターをひとり作ろうって話になってるんですよ」

「ハァー、何の話ですかあ」

「あれ、トクさんから聞いてないの？」

「聞くも何も、徳岡さんとはさっき初対面で、すぐここに来たんですから」

「じゃあ、単刀直入に言うよ。まず、この『やがて雨』は、増位山のアルバムに収録させていただく。それよりも石田さん、作曲家よりも先に歌手にならないか」

目がテンになった。あれほど子供の頃から憧れていた歌手。それを諦め、吹っ切れて、作曲家を目指した矢先に歌手の話？

「作曲家で大成することは本当に困難なことだ。それよりも、石田さんは歌えるんだから、まず歌手で名前を上げて、作曲家に移行したほうが早道だと思うんだよ。たとえば、竜鉄也も『奥飛騨慕情』がヒットして、美空ひばりさんから声がかかって曲を書いたし、『水割りをくださーい』の堀江淳も、あれ一発で他の歌手から作曲依頼がいっぱい来てるんだよ」

写真送れ、の意味がやっとわかった。

ナイトクラブのバンドリーダーで演歌歌謡曲の作曲家志望、と聞いて、渥美二郎や三条正人のような七三分けにダークスーツを思い浮かべていたディレクターが、俺の写真を見て、メチャ受けしたらしいのだ。

カーリーヘアーに革ジャン、アロハシャツにネックレスにジーンズ。デモテープは演歌歌謡曲、ルックスはクリスタルキング、というアンバランスさに、こりゃ面白い、売れる、と言い出したらしいのだ。

「いや、後藤さん、お話は誠にありがたいのですが、今までのバンド生活で家族抱えて、今さら歌手で苦労させたくないんです。まず第一、俺の声はザラザラの鼻声で、歌手としての魅力なんかありませんよ」

「魅力があるかないかは石田さんじゃなくて俺が決めることだよ。ま、返事はすぐでなくていいから、考えてみてよ」

結局、一年ぐらい後藤さんに会うたびにその話になり、あまりの熱心さに負けそうになったこともあったが、いつの間にか自然消滅した。

その年の十一月、俺のデビュー曲「やがて雨」は増位山の現役大関最後のＬＰに収録され、忘れることのできない記念すべき歌となった。


頻繁に東京のレコード会社に売り込みに歩いたが、サンミュージックとの出会いは大きかった。

東京へ行くたびに、桜田淳子、松田聖子、数々のアイドルスターたちのポスターが貼られた四谷のビルの前を通っては、憧れたものだ。自分とは縁のない世界だと思っていた。

そのビルに初めて打ち合わせに入った時は、新鮮な感動と緊張感が襲ってきた。

俺はそんな謙虚な気持ちだったのに、この時以来長い付き合いとなったディレクター、蓑毛正嗣氏に数年後言わせると、

「石田さんがこの部屋に入って来た時、ナンジャこの人は？　ってビックリしたんですよ。だってチリチリのカーリーヘアーに派手なアロハシャツ、白地にブルーストライプのブレザーにベルボトムジーンズ、おまけにでっかいサンローランのサングラスで、どうも、って言った途端、俺の目の前のソファーにドカッとふんぞり返って足組むんで、この人ホントに新人？っ
てなんか怖かったですよ」

それは違うって蓑毛さん。俺は緊張してて不愛想になってたし、七センチヒールのブーツ履いてたから、ソファーに座ったらズボッと沈み込んで、ふんぞり返ってしまったんだよォ。

なんにしてもこの日、初めてのサンミュージックでいきなり二曲採用された。

当時、「おやじの酒」という歌がヒットしていた朝田のぼる、そして新人の杉田愛子。

「朝田のぼるの新曲は、『おとこの灯り』というタイトルで、作詞はたかたかしさんにお願いしました」

そんな大作詞家の詞につける曲、私でいいんでしょうか。我が耳を疑う。しかもシングルA面。

「ウチの新人で杉田愛子ってご存じですか？　作詞吉岡治先生、作曲市川昭介先生の『花吹雪』でデビューしたんですが」

もちろん「スター誕生」から知ってます。

「二作目を、石田さんのデモの中にあった曲がいいのでいただきます。作詞は山上路夫さんで

いいですか？」

いいですか、ってなにを言ってるんだこの人は。夢かまぼろしか。

作曲、石田光輝でいいんですか、と聞きたくなる。とにかくウソのような恵まれた話だ。

メジャーってこういうこと?を実感する。

いい話は続くものだ。

いつものように午前中はトレーニングジムに通うのが日課だったある月曜日、ジムに女房から電話があった。コロムビアの清水道夫ディレクターから、連絡が欲しいとのこと。

慌てて帰り、清水さんに電話。

グループサウンズ、ヴィレッジ・シンガーズのヴォーカルとして大スターとなり、現在はコロムビアレコードの一線ディレクターである。

「いやあ石田さん、ご活躍のようですね。僕の担当する、ラブサントスというグループのシングル二曲お願いしたいんだけど、再来週の火曜日にレコーディングが決まってるんで、急ぎで欲しいんですよ。作詞は吉田旺先生にお願いしますから、メロ先でよろしく」

そりゃあ、あの名作「喝采」「東京砂漠」の吉田旺先生と聞いたら張り切らざるを得ない。

従来の、いわゆる夜っぽいムードコーラスでなく、GS後期の歌謡曲化した頃のサウンドにしたい、という清水さんの要望に応えるべく、その日のうちに二曲書き上げ、今回は時間がないからギター一本でデモテープを録音して、翌日速達で郵送した。

すぐに、二つとも希望通りだったのでレコーディングします、との返事。来週火曜日にオケ録り、水曜日に歌入れするので来てください、と連絡が入った。

信じられないスピードで作業は進んだ。

オケレコーディング当日に出来た詞を検討修正し、歌手は録音当日に初めてその詞を見る。コーラスアレンジも当日届き、即レコーディングという恐ろしいスケジュールだったが、仕上がりは上々だった。

ラブサントス「つよがり」「こころがわり」のカップリングレコードは、ヒットはしなかったが、今でも再レコーディングしたいほど大好きな、カッコいい曲である。

ラブサントスとは、長い付き合いになり、解散するまで沢山のジョイントステージを踏んだ。ムードコーラスらしくなく爽やかでいい連中だった。

解散の理由は、ヴォーカルが禿げたから。ああ恐ろしい芸能界。今ならどんな方法でもあるのに。

先生？　俺が？

ヒット曲はなかなか生まれなかったが、小さな田舎町でデビューした作曲家の存在は、新聞テレビで報道され、あっという間に巷の話題となり、今までの夜の世界だけではなく、一般的にも知られるようになってきた。

カラオケ審査委員長としてテレビ番組に出るようになると、司会者が俺のことを先生と呼ぶので、町を歩いていると、今までの知り合いまでが、「オーイ、センセイ」などと半ばからかい気味に声をかけてくる。

まだ暮らしのために夜の弾き語りも続けていたので、今まで「石田くん」とか「石ちゃん」と呼んでんでた客までが、「センセイ」に変わったので、俺はイヤでしょうがなかった。

昨日までのギター弾きの「石ちゃん」と、今日の俺とは何にも変わってないのに、「先生」なんて言われると、なんだか逆に侮辱されたような気になってくる。

まして「先生」の前に「オーイ」を付けるのは矛盾している。作曲家デビュー後に知り合った人なら仕方がないが、友人に言われるとムッとする。

ハワイアン出身の大先輩歌手、三島敏夫さんに「ありがとうの詩」という曲を書いて、記念のディナーショーを開いたときのこと。ステージでお互いをどう呼び合うのか打ち合わせをした。

俺は、ハワイアンバンドに入団したとき、バンマスから三島さんのレコードを毎日聴かされ、歌い方とギターカッティングの練習をしたのだから、当然三島さんは俺の先生である。だから、三島先生と呼ぶのが当たり前、と主張。

三島さんは、「自分の曲を書いてくださった作曲家は歌手にとって先生。センセイと呼ぶのが当たり前。私は絶対センセイと呼びますよ。逆に、歌手の私をセンセイと呼んだら、私、返事しませんよ」との答え。

俺は、この大先輩の謙虚さに感動し、折れることにした。はい、どうぞセンセイと呼んでください。私は心の中で三島敏夫先生と呼びますから。

この三島敏夫さんにはのちに数曲書いたが、「愛妻」という曲を書いたとき、レコーディング当日、

「先生、いただいたデモより半音高く歌いたいんですが、よろしいでしょうか」と聞かれ、

「もちろんですよ。歌いやすいキーで歌ってください」と答えると、

「私、最近高い声が出るようになったんですよ」

……最近って言われても。三島さん、そのとき七十二歳だ。まったく三島敏夫さんには頭が下がる。

俺はダメな人間だなあ。小さなことに腹を立てたりして。いいじゃないか、先生と呼ばれるなら、呼ばれる人間になれれば。

少しずつふっ切れてきた。

そのうち、同級生に会って、「オーイ石田ァ」と呼ばれると、「先生と呼ばねえと返事しねーぞ」などと冗談で返せるようになってきた。

また、カラオケの生徒さんに大会社の社長さんも増えてきて、レッスン後、息子みたいな俺に深々と頭を下げて、「先生ありがとうございました」と言われるたびに、ああ、この人たちの顔をつぶさないように、俺も本当に先生と呼ばれる人間にならなければ、と目標を立てた。が、これは達成できていない。

賞取り男になるぞー

作曲家としてのデビューは、まことにラッキーで、立て続けにシングルが出たりしたのだが、世の中そう甘くはない。

アルバム曲やB面の仕事は来るのだが、なかなかシングルA面の発注がない。

A面の予定で吹き込んだものが急にひっくり返ったり、契約が終わったあとに歌い手が突然引退して作品が宙に浮いたり、歯車が噛み合わないことが続いた。

地元の仕事は、ローカル歌手のインディーズ盤や、音頭、ＣＭがらみのイメージソングなど忙しいのだが、メジャーレコードの仕事が続かない。

ただ、スピードをモットーとする俺は、曲を書く意欲と情熱だけは誰にも負けないつもりだった。

いつもバンド仲間と行く、ゲイのじいさんの店で、漁港育ちの俺はハマチのあら炊きをぴちゃぴちゃしゃぶりながら食っていた。

「先生、そんな食べ方していたら、レコード大賞のパーティーなどでみっともないわよ」

「バッカヤロー、そんなパーティーに魚のあら炊きなんか出るかよ。第一、そんなパーティー俺には縁がないよ」

その時俺は、日本作曲家協会の協会賞に応募していたのだが、受賞することなど考えてもいなかった。
二、三日後、弾き語りの店に電話が入っていた。演奏中で出られなかったので、スタッフがメモしてくれていた。
「あなたの応募された川中美幸の、『あなたと呼ぶのはあなただけ』が、協会賞の優秀賞に選ばれました」ゾ〜っと鳥肌が立った。

慌てて作詞の野本高平さんに電話した。

「ああ石田さん、よかったねえ。グランプリではないけど、レコーディングされるよう、僕も願っているからねえ。今日は美味い酒飲んでねえ」

間違いではなかった。今をときめくヒット歌手、川中美幸の曲をこの俺が……。

即、件の深夜スナックに行き、ゲイのマスターに報告。

「レコード大賞じゃないけど、本当に受賞パーティーに出ることになったよ」

「あら、アタシ先生は必ずそんな場所に行く人だって信じてたもの、驚かないわよ」

「ま、あら炊きは出ないと思うから安心しろよ」

で、当然朝までどんちゃん騒ぎ。


この受賞曲は、グランプリではなかったが、川中美幸『男じゃないか』のアルバムに収録された。

東京ならたいしたニュースにもならないだろうが、この出来事は、「石田光輝カラオケ特訓道場」を週一で掲載している地元新聞で大きく報道され、カラオケ教室希望企業の申し込みが殺到した。生徒数も一気に膨れ上がった。

今まで十人程度だった生徒数が、最大四百人になり、俺はついに唯一の生活の糧であった弾き語りの仕事を完全に引退し、石田光輝音楽事務所を開設した。

初の受賞で、俺は一つの目標を見つけた。

メジャーレコードでヒットを出すことは、東京でも一握りの作曲家に集中している。ましして地方在住となるとハンディがでかすぎる。でも、賞を取って話題になることは、俺にとって数字上のヒットよりも、もっと大きな評価を得ることが出来る。

そうだ、地方にいても賞を取ることは可能だ。俺は、賞を取ることを第一の目標としよう。ヒット曲は自分ひとりの力ではどうしようもないが、賞ならひとりの力でとれる。

作曲に対する情熱は、ますます膨らんでいった。

ついにやったぜグランプリ!

弾き語りは引退したが、好きな歌はやめた訳ではない。

受賞で多少人に知られるようになった俺は、ライブ、ディナーショーを定期的に行い、鳥取県、島根県だけでなく、岡山県にも三つの教室を持ち、活動の場を広げていった。

弟子入り希望者も現れるようになり、女の子をプロに育てようと情熱を傾けた時期もあったが、自分自身が欠陥だらけの三十半ばの俺にはまだ荷が重かったのだろう。

思いがけぬ心のすれ違いなどで精神的に参ってしまった。

弟子を育てる前に、まだまだ自分を鍛えなくてはいけない。人を育てるなど十年も二十年も早い。曲作りに専念しよう。

自分のショーで歌うためのオリジナルも作っていった。

作詞研究生の一人、鳥取市の藤原弘道が電話をしてきた。

「先生、秋津島って知ってます？」

「いや、知らないけど何処？　きれいな地名だね」

「実は、国語辞典見てるうちに目に留まったんですが、日本の古称、としか書いてないんですよ。もう少し詳しいことが知りたくて」

高校時代のバンド仲間の父親が有名な考古学者なので、聞いてみようと思ったが、そんなこと知らんのか、と言われそうなので、無駄を承知で女房に聞いてみた。一応、奈良の女子短大で奈良文化の勉強をしてたはずだ。

「秋津島？　日本列島を昔そう呼んでたんでしょ。万葉集の頭の歌に出てきたと思うけど」

へえー、おみそれしました。

ま、詳しいことはわからんが、書いてみよう、ってことで藤原弘道作詞の「秋津島」が出来上がった。

俺はいい歌だと思ったので、バンドで歌うのはもちろん、ちゃんとした演奏録音でカラオケも制作、ショーに来たお客さんに記念品として配るテープも制作した。

すこぶる反応がいい。次第に欲が出てきた。俺だけの歌にしておくのは勿体ない。

平成元年の作曲家協会の応募規定は、自由曲であった。規定歌詞もないし、歌手も限定されていない。これはチャンスだ。

これが評価されないなら、俺は作曲家協会をやめる、とまで思い入れが強かった。

カラオケ教室の最中にその電話が入った。

小川寛興先生の声だ。

「あなたが応募された『秋津島』が、本年度作曲家協会賞グランプリに選ばれました」

「本当ですか、本当ですか？　実は私、取れると思ってました」

余計なことを言う奴である。

小川先生は笑いながら、

「石田さん、この曲は鳥羽一郎でシングル化するよう、クラウンと話がつきました」

ウ、ウッソォー、鳥羽一郎？

「兄弟船」でデビュー以来ヒットを連発、当時最もカラオケファンに愛唱されているスター歌手だ。そのシングル？　う、嬉しい。

カラオケ教室の皆さんの喜ぶ顔が目に浮かぶ。体がガタガタ震えてきた。

すぐ自宅に電話したら長女の等子がでた。

「パパ、グランプリ取ったよー」

「エーッ、すごーい」

のちに等子が女房に、電話の向こうにパパの笑顔が見えた、と伝えたと聞いて、やっと音楽で父親らしいことが出来た、と思った。

が、そのまま家に帰って家族でお祝いするタイプではない。

当然夜の街に繰り出して、浴びるほど祝杯を上げたのは言うまでもない。

小川先生から、この授賞式は十月十四日にＴＢＳテレビで放送されますので、それまでマスコミには内緒にしておいてくださいね、と言われたのだが、もうこれは黙っているのが大変だった。あと二カ月もあるのだ。

もちろん、マスコミにはオフレコにしていたが、周囲には報告するので、授賞式までに何度小さな祝賀会を繰り返したことか。

その間に赤坂のクラウンレコードスタジオで鳥羽一郎のレコーディングや、打ち合わせなども終了し、授賞式も「ＴＢＳ日本作曲大賞」の中で行われ、収録された。

この番組は、ノミネートされたアーティストたちが全員出演するので、それは授賞式よりも楽しく華やかなものだった。

北島三郎、小林幸子、酒井法子、CHA－CHA、デビューしたばかりのマルシア、そして何よりも心躍ったのは、SHOW－YAの生演奏が目の前で見られたことだ。

前回、優秀賞のときはなかったが、スタジオ内撮影禁止の中、俺だけにカメラマンが付いて撮影してくれるし、取材も受ける。プロデューサーも控室から何かと密着して指示してくれる。ああ、やっぱりグランプリっていいもんだなあ、とつくづく実感した。

同年十二月、めでたく「秋津島」は鳥羽一郎のシングルA面として発売。

ちょうど演歌もCD発売がスタートしたばかりの頃で、レコード、カセットテープ、CDの三種類が同時発売となった。

二度目のグランプリ

初のグランプリ受賞の余波で、仕事の幅が拡がりはじめ、歌のステージだけでなく、講演会の講師として招かれることも多くなった。

俺よりはるかに年長のお客様の前で、講演など恐れ多い、と辞退していたのだが、依頼していただけるだけでも幸せ、自分自身を見つめなおす機会にもなると思いなおし、お受けすることにした。

著名な講師のあとに俺の出番があったり、壇上に上がるとかつての師匠（とんでもない弟子だったが）の植田正治先生の顔があってドギマギしたり、冷や汗ものの連続だったが、回数をこなすうちになんとかサマになってきた。

特に、作詞作曲家を目指す同人対象の講演会では、地方で活動する皆さんには参考になる点が多いようで、「感激しました」、「勇気が出ました」などと、お褒めの言葉をいただいた。

なんとか地方で作曲家として目途がついてきた、と思っていたが、協会賞受賞程度で仕事の受注が増えるほど甘くはなく、相変わらず地方のイメージソングや社歌、プライベート盤の仕事に追われていた。平成八年、日本作曲家協会の会報で「第一回ソングコンテスト」の募集があった。

この数年前から協会賞がなくなり、これではいかん、と協会のお目付け役、スポニチ常務・小西良太郎氏の発案で、協会員にチャンスの場を作ろうと始まったもので、今回は小金沢昇司の歌う歌を募集し、グランプリ曲はシングル発売されるというものだった。

「オイ、仕事がきたぞー」と女房に叫ぶと、「受賞しなきゃダメでしょ」と一蹴されたが、いずれにしても久々の作品募集だったからファイトが湧いた。

自由曲部門があったので、こんな機会にと、ひそかに書いていた自信作のメロディを応募。これはいける、と自分に言い聞かせながら発表を待った。

協会賞の受賞から七年、年老いた入院中の母の口ぐせだった、「光輝がもう一度受賞するまでは死ねない」という言葉に、なんとか応えてやりたかった。

ちょうどその時期、それまで八年住んでいた住居を売り、新しく三階建ての事務所兼自宅を建設の最中だった。

入院中の母が退院したら、快適な介護部屋に住まわせたい、との思いもあり、思い切って決断した建て替えだった。

零下一度の小雪がちらつく寒い日の引っ越しの朝、妙な予感が頭を渦巻いていた。

今日は受賞の連絡が来る、なぜかその思いが離れないのだ。

引っ越し作業中のスタッフに、今日受賞連絡が来るぞ、と言っても、なんでよ、と取り合わない。一瞬変な顔をしてまた作業に没頭している。

そろそろ片付きかけた午後六時、電話だ。

俺はスタッフに、これだぞ、と目配せを送りながら受話器を取った。

「ビクターレコードの朝倉と申します。このたびのコンテスト、グランプリに決定しました。作詞は、荒木とよひさ先生にお願いします。レコーディング日程はのちほど」

ヤッタゼカトチャン！　とは言わなかったが、その場で引っ越し作業は中止。お決まりの大酒盛り大会に変更した。

俺は霊感などゼロだし、それまで予感など当たったためしがないのだが、この日の不思議な出来事は忘れられない。

結果的にヒットには繋がらなかったが、母は大喜びして受賞報道の新聞をすべて病院の壁に貼り、息子自慢をしていた。

一番のお気に入りは、中日スポーツの全面記事の真ん中に大きく掲載された俺の写真だった。東京での授賞式、地元での祝賀会が終了したあと、母は新築の自分の部屋に帰ることなく、まるで予定していたように息を引き取った。

三度目の正直

平成十年、第三回ソングコンテスト応募要項を見て、わが目を疑った。

「美川憲一・石川さゆりの歌募集」

ホントかよ、こんな凄い歌い手さんの曲が書けるなんて。ま、受賞しての話だが。

予め日本作詞家協会で募集された、それぞれ二篇ずつの課題詞が掲載されていたが、正直今回はまず俺にはないな、と思った。

前回と逆のマイナス予感だった。

絶対受賞はないと思っていたから、それまでと違いとても気楽に曲が書けた。

美川憲一さんに一曲と、石川さゆりさんに「長良の萬サ」を書いた。

美川さんの詞は、とてもムーディな内容で、クラブ歌手時代を思い出しながら気分を出して、デモテープも入念な音作りをした。

一方、「長良の萬サ」は、別に手抜きではないが、峰崎林二郎さんの独特な世界の詞をじーっと見ているうちに、スーッと全体の構成が浮かび、メロディーが自然に口から出てきたのだ。

アタマをスローのバースで民謡調に、サビからリズムインしてメジャーに転調して、明るく
……意図的ではないのだが、勝手に歌が出てくるのだ。

譜面に書き終えるまでに十分もかかっていない。

横で仕事をしていたスタッフに、ギターの弾き語りで聴かせた。

「どうだい、こんな感じで」

「ハァ、そんなもんじゃないすか」

まるで手ごたえがない。

まあ、俺の能力じゃこの曲しかできないから、参加することに意義ありで、他の作家先生が

どんな曲でグランプリを取るのか聴かせていただこう。そんな気持ちだった。

アレンジもせずイントロも作らず、ギターの弾き語りでデモテープを録音して応募した。

二カ月ほどたったある日、NHK歌謡教室の最中に連絡が入った。

「先生、事務所からの連絡で、すぐ作曲家協会に電話してくださいとのことです」

ま、まさか、またァ？　今回は全然自信なかったのに、美川憲一さんの曲が合格？

そんなこと思いながら協会へ電話。

「石田さん、あなたって人はすごいねえ。またグランプリだよ」と荒木圭男先生。

「いやー、今回は思ってもみませんでしたよ。で、美川憲一さんですか？」

「エ？　いや、石川さゆりさんの『長良の萬サ』での受賞ですよ」

「そうなんですか！　どうもありがとうございます」

電話に向かって最敬礼して受話器を置くと、NHK教室の事務員さんがニコニコしながら
「先生、いい話ですか、また受賞ですか」

俺の頬は緩みっぱなしだ。

教室に帰り、生徒さんに報告。今までの受賞にも増しての大拍手と歓声が上がった。

そりゃそうだ、あの天下の石川さゆりさんの曲を俺が書いたんだよ。信じ難い話だ。

俺の胸は感激でいっぱいになった。

そしてレコーディングでの初対面、普段着に眼鏡姿のさゆりさん。

この曲をどんな風に歌ってくれるんだろう。俺自身、どういう歌い方をしたらいいのかわからない曲だ。

馬場良（佐伯亮）先生編曲のドラマチックなオーケストラのイントロから、さゆりさんの歌が流れてきた。

心が踊った。さすが、としか言いようがなかった。これがプロだ。プロの神髄だ。

記念写真をお願いしたところ、あの大天才アレンジャー馬場良先生までが、

「あ、僕もお願いします。憧れの石川さゆりさんと」これは笑えた。

美空ひばりさんの「悲しい酒」をはじめ、無数のヒット曲の編曲家にこう言わせる大スターなんだな、と妙な感心の仕方をした。

キャピトル東急での授賞式当日まで、A面B面どちらか聞いてなかったから、会場に貼られたポスターを見て、やっと安心した。

ヤッタゼ、A面だ。

石川さゆりさんのコメント、

「今の石川さゆりに、元気を出せ！と後押ししてくれるような作品でとても嬉しい」

これにも感激した。

やはりこの会場でも、俺が記念写真を撮ろうとすると、周りの先生方がゾロゾロ現れて一緒に写ろうとするものだから、肝心の俺が端っこに写ってしまっている。

やはり「女王様」だ。

この手の受賞作品は、ともするとプロモーションの外に置かれがちなので、テレビはどうかな?と懸念していたが、幸いローテーションに組まれ、NHK歌謡ホール二回を始め、民放各社の歌番組すべてにオンエアされ、大反響を呼んだ。

自宅でNHK歌謡ホールを見ていると、何年も消息不明だった友人から喜びの電話が入ったり、見知らぬ人からお手紙をいただいたり、俺の周りが大きく変化していくような気がした。

また、大阪新歌舞伎座で石川さゆりさん初の座長公演(初というのも不思議な感じがしたが)でも、二部の幕開けトップナンバーとして歌われ、イントロが流れて幕が開くと同時に、後ろの席から、

「あ、これや、『長良の萬サ』やな。これな、さゆりちゃんの初めての男歌なんやで」

と説明している声が聞こえ、嬉しく、くすぐったい思いもした。

この受賞曲も、俺にとって一生の宝物になるだろう。地方作家が、石川さゆりさんの曲を書けるなんて、コンテストでもなければ、まず絶対不可能に近いことだから。

まぼろしの名曲「地酒」

前述したデビュー当時、テイチクのディレクターに歌手を勧められたとき、作品を作るべく、作詞家・野本高平先生を紹介して戴いた。

「実は、作曲家よりも歌を先にやらないかと言われてるんですけど、自分自身の納得できる作品じゃないとやりたくないんですよ」

「ふうん。で、どんな歌が歌いたいの？」

「俺は、男女のからみのない、土のにおいのするような男歌、でもど演歌じゃなくて、フォークギターの弾き語りが似合う、そんな歌を作りたいんです」

野本先生とそんなやりとりのあと、一編の詞が届いた。

故郷が無性に　恋しくなって
ひとり降り立つ夜の駅……

で始まるこの歌には、「地酒」というタイトルがついていた。

故郷を捨てて、都会の夜の街に身を投じた青年の、せつない郷愁の歌だ。

この歌は自分の作曲人生の中で最も印象深く、手放せない「石田光輝の歌」となった。

この作品は、しばらく自分のステージで歌っていたが、次第にいい歌だね、と言われるようになり、各レコード会社や出版社のプロデューサーから、預かりたい、という声を次々といただいた。

俺自身、とても大切に歌っている曲なので、できれば希望に添った歌い手さんに歌って欲しいと思っていたのだが、話がまとまりそうになると逆転。またいい話が来て、今度こそ、と思うとこれまた逆転。次から次へとチャンスが現れては消えていく。その中には、誰でも知っている歌謡界のベテラン歌手から、フォークシンガー、なぜか本格的なコーラスグループまで。いったいどんな歌や?と思えるほど数々の歌手の名前が出ては立ち消えになる、放浪の旅を続ける曲となった。

あまりにも逆転劇が繰り返されるので、そのうち期待しなくなった。

で、第一線の歌い手さんではないが、ぜひ歌いたいと請われて、ま、いいかみたいな感じでレコーディング。ふたりの競作で出した。

それぞれいい持ち味はあるのだが、俺の中で、ベストとは言い難い。

それ以上に、俺の歌をいつも聴いてるファンの反応がすこぶる悪く、CDも買ってくれない。

そのうち、支援者のひとりが、制作費は全部持つから、石田本人の歌で出すべきだ、とまで言ってくださった。

せっかく音を残すなら、シングルでなくてアルバムをやりたいと申し出たら、それでもいいと即答をいただき、七曲入りのオリジナルアルバムを制作した。

アルバムタイトルはズバリ『地酒』。

「秋津島」も、鳥羽一郎さんとはアレンジを変えて収録。

全曲、桜庭伸行先生に編曲をお願いして、東京のスタジオでオケレコーディングから歌録音、ミックスダウンまでを三日間で仕上げる、というハードスケジュールだったが、オーケストラからエンジニアまで、すべて日本一と呼ばれるメンバーを揃えた。

時間制限のある仕事は、超一流を揃えたほうが結局時間短縮で安くていい仕上がりになるよ、と言われたからだ。

それと、「天城越え」や、五木ひろしの「暖簾」、梅沢富美男の「夢芝居」など、数々の名アレンジで知られる桜庭伸行先生のサウンドは、超一流メンバーでないと出せない、とも言われた。

やはり素晴らしい仕上がりで、これも俺の一生の宝物となり、今でも収録曲の中から選曲して、歌い手に提供している。

歌録音のとき、ちょっとしたエピソードがあった。

オケレコーディングはサウンドシティ、歌録りはシャングリラというスタジオを使用したの

だが、歌録りの休憩時間に、ミキサーの山口さんと雑談中、

「俺、子供の時から橋幸夫さんの強烈なファンで、この世界入るきっかけとなったのも橋幸夫さんという存在あればこそなんですよね」

すると山口さん、

「へーえ、そうなんですか。そりゃ橋さんも喜びますよ。今日は上にいるんじゃないかな。上、上がります?」

「上? どういう意味?」

「あ、知らなかったの? ここ橋幸夫のスタジオなんですよ。入り口の右ドア、自宅ですよ。表札見なかったんですか」
ゾ、ゾゾー、鳥肌が立った。
慌ててスタジオを飛び出し、入り口ドアを見に行くと、確かにYUKIO・HASHIと表札が出ている。

レコーディングに来ている作曲家でも歌手でもなく、小中学校時代のミーハーファンに戻ってしまった。

「いやいや、今橋さんにお目にかかったりしたら、興奮してレコーディングが進まなくなってしまうから結構ですよ」と、ご挨拶は辞退したのだが、ファン心理とは不思議なもので、この

レコーディングでとても得した気分になった。

その後何度も他の歌手の仕事でこのスタジオに来たが、もう興奮することはなかった。

さて、このアルバムの一曲目に「地酒」を収録、素晴らしいアレンジとサウンドに支えられ、いつまでも歌い続けたい、俺の「まぼろしの名曲」となっている。

このあとも、「地酒」は某有名歌手で納得のいくレコーディングまで終了したにも拘わらず、事務所とレコード会社のトラブルでお蔵入り。もう腹も立たなかった。

「地酒」は俺の歌だ。

人に歌わせるもんか。

第5章　バンド再結成

ザ・スカッシュメン再会

二〇〇〇年四月一日、俺は五十歳になった。

それまで、年齢を重ねることなど嬉しくも悲しくもなく、特に誕生日など意識したことはなかったが、五十という区切りの数字、二〇〇〇という二十世紀最後の年に、なんだか感慨深いものを感じた。

仕事も、思っていたほどではないにせよ、歌謡曲、演歌低迷の中で、地方で奮闘している自負心はあったし、たくさんの生徒、支援者に囲まれて多忙ではあった。

が、地方でライバルがいない分、孤独感はあったのかもしれない。

ふと、高校時代のバンドメンバーと飲みたい、そんな思いに駆られ、ドラムのユキオに電話した。

「オイ、元気か。ケンジやショージはどうしてる?」

「あれ?　ショージさんからなんか聞いた?」

「いや、何にも聞いてないぞ。五十になったから久しぶりにみんなと飲もうと思って電話しただけだ」

「へーえ、偶然だなあ。実は我々も連絡しようと思ってたとこだった」

聞いてみると、ケンジが膵臓がんに冒され、おそらくもう病院から帰ることはないだろう、ということだった。

そして間もなく、ケンジは俺たちより先に逝ってしまった。

ケンジの仏前に手を合わせた帰り、詳しく聞くと、俺の知らないところでザ・スカッシュメンの再演を望む声があり、お盆の同窓会で演奏してほしい、メンバーもその気になっているのだが、プロの音楽家である石田の首に誰が鈴をつけにいくか、それをためらっているうちに先に俺のほうから電話があった、ということだった。

「再演ったって、お前たち今まで楽器やってたのか？　第一ベースのケンジはいないし、俺だって人前で変な音出すのいやだよ」

俺は即座に断った。

同席していた後輩が、

「先輩、お願いします。オレ、みんなに約束してしまったんです。土下座してでも石田さん説得するからって」

ホントに土下座しようとするので、俺はそいつの体を蹴り上げて、

「バッカヤロー。お前が芝居じみた土下座なんかしてすむ話かよ。お前らただ懐かしがって適当な演奏、なんて考えてるかもしれんが、今までプロで頑張ってきた俺はどうすんだよ。ディナーショーの余興でベンチャーズ演奏したこともあるけど、メンバーはすべてスタジオミュージシャンで完璧な音出してくれたからやれたものの、三十年も楽器触ってないメンバーと演れるわけないだろうが！」

俺は思わず怒鳴りつけていた。

ユキオも当惑した表情で、

「ま、やっぱり無理だわな。ま、俺たちだけでなんとかメンバーを探してやってみますわ」

そういわれると、なんか可哀想な気もする。

「ま、百歩譲ってだな、まず二カ月しかないお盆の演奏は絶対無理。同窓会を正月に変更して、とりあえずお前たちだけで半年練習してみろや。その時点で演奏を聞いて判断するよ」

「わかりました。ひとつ先輩のギターの藤堂さんもＯＫが出てるんで、ショージさんのベースってことで練習してみます」

じゃあ、半年後の上達を待ってるぞ、ってことで一件落着。

ところが一カ月もたたないうちに、俺が居酒屋で飲んでるとメンバーがやってきた。

「今、練習の帰りなんですよ」

「オーそうか。どうだい調子は」

「イヤーなかなか……」なんてやりとりしていると、なんか記憶にあるようなないようなハゲのオッサンが近づいてきた。

「おお、光輝、久しぶりだな元気か」

誰やこのオッサン、俺を呼び捨てにしやがって。あれェ？　藤堂さん？

「ひょっとして藤堂さん？　髪がないからわからんよ。ガハハハッ」

あっという間に打ち解けて、昔話や今の練習状況やらで盛り上がってきた。

「なあ光輝、ワシらも練習はしてるけど、やっぱりお前がおらんとダメだ。まあいっぺん一緒に練習してくれや」

「そりゃまあ、先輩に頼まれりゃイヤとは言えんなあ。でも、ベンチャーズやるならモズライトが必要だしなあ」

結局ひとつ先輩の藤堂さんを引き入れて、俺を懐柔しようという作戦らしい。

俺用のモズライトも、アマチュアベンチャーズのメンバーが、石田さんが弾くなら、と無期限で貸し出ししてくれるし、練習場も随時ＯＫと、そこまでセットしてあった。

一度だけの再結成のつもりが

約半年の練習、といっても社会人の中枢であるメンバーと毎日各地を走り回ってる俺との時間調整は困難で、数回しかできなかったが、ワンステージで解散するバンドだからレパートリーは十二、三曲でいける、ってことでなんとかサマになってきた。

二十一世紀幕開けの正月、ザ・スカッシュメンは一度だけの再結成演奏をした。

俺より一学年下、ユキオの同窓会である。同学年のケンジの追悼の意味も含めて、練習不足の不安をかき消すべく、気合を入れてステージに向かった。

「私たちの高校時代のスター、ザ・スカッシュメンの登場でーす!」のMCコールに、ウォーッという歓声がホテルの宴会場いっぱいに響き渡った。

「ダイヤモンド・ヘッド」、「十番街の殺人」、「朝日のあたる家」、そしてGSヒットメドレー。校長を舞台に引き上げての「高校三年生」の大合唱、全員肩を組み合って歌った「想い出の渚」。ああ、やってよかった。俺の心の隙間はこれだったのかもしれない。

高校を卒業してから、自分の心に偽って色々な職業に目を向けようとしたが結局音楽を捨てきれず、酒とオンナに麻痺したバンドマン生活を送り、なんとか作曲家として自分の生きる道を掴んだが、俺には心を開いて「オレ、お前」と上下関係なく話せる友がいなかった。

そこには仕事の先輩か後輩、そして客しか存在しなかったのだ。

ナニ言ってんだよお前、社会人なんてみんなそんなもんじゃないかよ、と笑われるかもしれない。それが当たり前なのかもしれない。でも俺は、田舎で不可能と思える仕事を選択したために、どこかで同級生と打ち解け合えない殻を、自分で作っていたのかもしれない。

音楽業界の話をしたって分かるわけない、芸能界なんて色眼鏡で見られているに違いない、俺の業界話を興味本位で聞いてるだけだ、理解を求めるのは無理だ……などと、ひとりで突っ張って、勝手にバリアを張っていたのは自分自身なんだ。

「皆さん、今日再結成したザ・スカッシュメンは、今日解散します」と笑いを取りつつも、このままで終わりたくない、そんな思いが渦巻いていた。

俺たちの青春時代には、こんな素晴らしい音楽があったんだ。三十数年たった今でも、決して色あせることないサウンド。思いっきり陳腐な歌詞なのに、全員が覚えていて合唱できるグループサウンズのメロディー。

ほんの一時のブームで終わったはずのエレキサウンドが、なぜこんなに共有感があるのだろう。

考えてみれば、ビートルズとベンチャーズ、そしてグループサウンズの話だけで盛り上がることの出来る俺たちの世代は、なんて幸せなんだろう。

今の若者たちがオヤジになったとき、どんな共通の音楽話があるのだろう。欲しい物が手を伸ばせばなんでも手に入るこの時代は、却って不幸な時代だ。

エレキギターが買えず、クラシックギターにニクロム弦を張り、テープレコーダーのマイクをギターホールに突っ込んで、アンプ代わりのラジオに結線して、エレキだエレキだと喜んでいた俺たち。学園祭の時だけ、プロから借りたアンプに狂喜していた俺たち。音楽に飢えていた俺たち。

モズライトもストラトも、フェンダーツインリバーブアンプも自由に買える今のアマチュアバンドよりも、あの頃の俺たちのほうがずっと幸せだったような気がする。

一度だけの再結成で解散するはずのザ・スカッシュメンに、次々と出演依頼が舞い込んできた。音楽祭、パーティー、イベントと続き、あっという間に一年が過ぎた。

十二月、この年最後の出演が終わり、バンドの忘年会の席。

「一年間お疲れさーん。カンパーイ！」

「お疲れさーんはいいけどよ、正直言って俺、このコピーバンドに飽きたよ」

「そうだよなあ、俺たち素人バンドに石田もよく付き合ってくれたよ。これ以上無理を言って石田を巻き込むこと出来んよなあ」

「オイオイ、勘違いするな。俺はバンドを辞めるとは言ってないぞ。コピーが飽きたと言ってるだけだぞ。まあ、せっかく作曲家の俺がいるんだから、せめて記念に一曲ぐらいオリジナルを作ろうかなって話だよ」

エーッ、いいなあ、羨ましいなあ、と声を上げたのは一緒に飲んでた、練習場などでお世話になったアマチュアベンチャーズのメンバーだ。

「うん、本当はこのメンバーじゃ譜面も読めないし、オリジナルを演るのは無理かなと思っていたけど、なんとか一年やって、みんなも歌の伴奏の難しさもわかってきたようだから、そろそろ一曲ぐらい、と思ってな」

作詞は俺の甥っ子で、キーボードサポーターとして一緒にステージに立ってきた遠藤謙司に発注することにした。

年は十歳ほど若いが、俺たちの活動をずっと目の当たりに見てきたし、もともとシンガーソングライターとして活動した経験もあり、「ゆうきひかる」というペンネームで俺の曲も何曲か作詞してCD化している。

年代は違っても、同窓会気分の歌を作りたい、という俺の要求に応えてくれるはずだ。

そしてGOZ,sは誕生した

明けて二〇〇二年二月、遠藤謙司が一編の詞を差し出した。
タイトルは「あの頃のままに」。

お互いに老けたなと　髪の毛に手をやって
交しあう微笑みが　昔のままだった
変わらない奴もいる　面影のない奴も
同じ時代を過ごし　ここまで来たよな

うん、俺の予想通り、いや、それ以上の出来栄えが返ってきたぞ。

初恋の片隅で　すれ違い眺めてた
美しい横顔の　あの女(ひと)もそこにいる
思い出話を　語り合えば甦る
ほろ苦く眩しい　青春の日々よ

時代（とき）は流れても
変わらない仲間（とも）がいる
あの頃のままに　あの頃のままに

これはいける！　早速作曲に取り掛かった。

六十年代の香りがプンプンするコード進行とメロディーを意識しながら三十分ほどで書き上げた曲を歌ってみると、なかなか気分がいい。

たまたま別件で打ち合わせに来た女性アナウンサーに聴かせた。

「先生、すっごくいい歌。ウチの主人が聴いたら涙流して喜ぶわァ」

ちなみにこのアナウンサーの旦那、彼女よりかなり年上で我々と同年代である。

よーし、コリャ反応もいいし、メンバーも喜ぶに違いない。デモ制作に取り掛かろう。

夕食でほろ酔い機嫌で女房に聴かせてみた。俺が作曲した歌を女房に聴かせることなど一度もなかったが、同級生なので、なんとなく反応を試してみたかったのだ。

「へ〜え、これはいい歌じゃない。この美しい横顔のあの女ってワタシのことー？」

都合のいい解釈をしていたが、俺の曲を褒めるのは珍しい。

よし、インディーズ盤でＣＤでも作ろう。

かつて新人の俺を大抜擢してくれた、サンミュージックのディレクターだった蓑毛さんが新興のレコード会社にいるから、あそこで作るとするか。

珍しく携帯が一発でつながった。

「蓑毛さん元気？　実は俺、今グループサウンズやってんだよ」

「ハア？　いいオッサンが遊んでんじゃないっつうの」

「いや、これがステージいろいろ多くてね。で、オリジナル作ったんだけど、どうせインディーズなら人の知らないようなレーベルでやろうと。蓑毛さんとこでって思ったわけよ」

「なんて言い草だよ。で、いい歌なの？」

「うん、珍しくカミさんに聴かせたらいい歌だって言ってるけど」

「へーえ、奥さんがいい歌だって言うんならいい歌なんじゃないの。ウチでやってあげますよ」

「いや、やってあげますじゃなくて、俺がそっちにやらせてあげよう、って話なの」

「だから、ウチでやってあげますよ。ウチでやりますよ」

「それって変じゃないの？　俺がそっちに発注するんだから、やらせていただきます、じゃないの？」なんか噛み合わない。

「ウチの会社も設立二年経って、今までインディーズ系の販売ルートだったんだけど、実績が認められて、キングレコードの流通が出来たんですよ。だから、全国発売の一般売りでやりますよ、って話なんですよ」

「なによそれ。曲も聴いてないし俺たちのバンドの実力も知らずに、なんでそんなことが言えるのよ」

「だって、石田さんのバンドで石田さんの曲ならいいに決まってるじゃない」

俺はなんだか可笑しくなって、笑いながら
「じゃあ俺たちのバンド、メジャーデビューってことォ？」「可笑しくてたまらない。

「ま、形としてはそういうことになりますかねえ。とりあえず大至急デモを送ってください。

それに、カップリング曲もすぐ作ってくださいよ」

なんちゅう話や。そんなイージーな話、聞いたこともない。笑いが止まらない。

と同時に、単純な俺はすぐその気になった。

「わかったよ、そうしよう。メンバーに報告してもいいんだね」

「いいですよ。約束しますから」

俺は、まだ曲も聴いていないメンバーひとりひとりに電話した。

「あ、ショージ、あのね、俺たちメジャーデビューだって」

「ハア？　なんじゃそれ」

事情を話すとこれまた大笑い。

ユキオ、藤堂さんもまったく同じリアクションが返って大笑いしてるが、みんな一様に当惑している。歌も聴いてないし。

「ま、とにかく明日揃って相談しよう」

という訳で、俺たちオッサンGSバンドはなぜか突然CDデビューすることとなった。

ほどなく蓑毛さんから、レコーディングから発売日までのスケジュール表が届き、我々は急にアタフタせざるを得なくなった。

急遽カップリング曲が必要となり、アマチュア作詞家じゃ間に合わんと、「長良の萬サ」の作詞家、峰崎林二郎氏に依頼、都会暮らしに疲れた男が故郷の空に思いを馳せる「いつか見た青い空」も完成させた。

さて蓑毛氏より、CD発売するには、ザ・スカッシュメンという名前はあまりにも古臭くてダサい、変更してくれないかという要望があり、まあ我々も感じていたので、またまた苦手なネーミング会議となった。

どうせ田舎のオッサンバンド、あまりカッコいいのも似合わない。地元に密着した方言や地名、動植物など挙げたが、どうもいまいちピンとこない。

ちょうどその頃、お笑いユニットが「ゆず」をパロって「くず」という名前でCDデビューしていた。

ゆず…くず…ごず…ゴズ？　あれ、これってどうかな。

我々の生まれ育った境港市は、東に日本海、西に中海という内海に挟まれているのだが、その中海に生息する小魚、ハゼを「ゴズ」という名称で呼んでいた。当時、子供でも簡単に釣れた魚なので、半ば小ばかにしたような響きもあるが、刺身、唐揚げ、煮魚、どんな料理でも美味しく、特に甘露煮は正月のおせち料理にはかかせない故郷の味である。

この名前なら、地元の人間には誰でもわかるし、逆に県外の人には語源がわからず、どんな意味だろう?と考えてもらうネタにもなる。そうだ、ゴズにしよう。

スペルを「GOZ's」として決定した。

悪戦苦闘のレコーディング

アマチュアに多いが、俺以外のメンバーは譜面が読めない。すべてのレパートリーは耳から覚えたコピーである。

いざオリジナルを演奏すると言っても、お手本となる音源がないとコピー出来ないのだ。リードギター、リズムギター、ベース、ドラム、キーボード、コーラス、すべてのパートを俺一人で演奏、多重録音した音を覚えてコピーする、という手順が必要なのだ。

そして完全に覚えた演奏を、もう一度メンバーで録音する。正直、やっかいなバンドだが、スタートした今となっては仕方ない。

みんな仕事を持っているので昼間は無理。夜スタジオに入り、パート別に録音していく。いつもライブで、せーのォと全員で演奏するのさえ精一杯なのに、一切のミストーンが許されない。メンバーにとっては地獄だ。

「はい、ワンテイクいきまーす」

「ちょ、ちょっと待って。き、緊張して指が動かん」

コーラスまで含めて連日深夜に至るレコーディングで、帰りは運転も危なっかしいほど疲れて、酒を飲む気力も残ってない。

俺も素人相手のレコーディングだから必要以上に疲れる。

しかしまあ、長い付き合いの腕利きのエンジニアのおかげでなんとかサマになった。

なんでこんな素人バンドがCDデビューなんだよー。プロになりたくて日々努力を続けている全国の若者たちのバンドに申し訳ない気持ちだ。

ま、いいや。別にヒット狙いでも有名になろうとも思っちゃいないバンドに、こんなラッキーなチャンスを与えていただけたことに素直に感謝することにしよう。

いよいよCD発売

「石田さん、出てますよー」と、友達のレコード店主が、キングレコードの新譜情報誌を見せてくれた。確かに出ている。

二〇〇二年六月二十六日発売予定
GOZ,s「あの頃のままに」
　　「いつか見た青い空」

「懐かしいサウンドに、団塊の世代を中心に大きなヒットが期待される作品である。」とまで書いてある。いやいや、それはない。

発売に先駆けて、俺たちはCDデビューコンサートを開いた。
境港市民会館いっぱいに詰め掛けてくれた千人を超えるお客さんの前で、俺たちは晴れがましい気持ちと、今さらデビューって、という照れ臭い気持ちが入り混じっていたが、緞帳が上がった途端にすべては吹っ飛んだ。

「みなさんコンニチワー！　新人バンドゴズでぇーす！」

自分でも思っていなかった素っ頓狂な叫び声が自然に湧き出てきた。

その一言でふっ切れた俺たちは、予定の一時間をはるかに超えるステージを、ノリノリで演奏することが出来た。

テレビニュースのカメラも二社、リハーサルから密着で撮り続けているし、新聞各社のインタビューも入って、ステージ以外でもメチャクチャあわただしいコンサートだったが、疲れを感じる暇もなく無事に幕は下りた。

コンサート終了後、汗びっしょりのままホール出口へ脱兎のごとく駆け出し、お客様ひとりひとりにご挨拶。間に合うかな、と思ったら、まだ玄関ホールには数百人の人だかり。みんなCD売り場に殺到していた。

右から左から、よかったね、素晴らしかったよ、の声に囲まれ、ひとりが「CDにサインを」と言い出すと、次々サインの行列ができてアタフタしていたが、同級生連中はそんなことお構いなしに、「おい、石田ァ、終わったんなら飲みに行こうやー」などと普段と変わらず呑気なことをほざいている。行けるか！

ともかく、これでザ・スカッシュメンは、新生GOZ'sとしてのスタートラインに立った。

一週間後、島根県安来市民会館でのコンサート。さらに米子市内ホテルでのショー、ライブやイベントゲスト。遊びでスタートしたはずのアマチュアバンド活動が、ＣＤを出したことによって「プロ」と呼ばれ、ステージを「遊び」から「仕事」と捉えるようになると、次第にメンバーもプレッシャーを感じ、不安をもらすようになってきた。

「俺たちみたいな腕でプロと呼ばれると、なんだか責任感じるなあ」

「ステージの前でアマチュアバンド連中がじーっと見てると委縮するよな」

ときには、本気でないにせよ、やめたい、という言葉も出てくるようになってきた。

そんなときは〝呑みーティング〟に限る。

「みんなに聞くけどよ、高校時代俺ひとりがプロ指向で、みんなは全然その気も自信もなかったって言うけど、もしなれれば、万が一なれれば、プロになりたいって心の片隅にでも思ったことはないか？」

「そうだなあ。そりゃもちろん、俺がなれる訳ないって諦めの気持ちン中に、なりたくないって気持ちはなかったよなあ」

「ウーン、俺も、一度くらいはプロとしてステージに立ってみたいって夢は夢としてあったと思うなあ」次々と本音が出てくる。

「俺だって、最初から作曲家を目指した訳じゃない。橋幸夫になりたい、沢田研二になりたいって思ってたんだ。でもその夢叶わず遠回りして結局作曲の仕事してるけど、基本的にはやっぱりバンドやりたいって気持ちを押し殺してたと思うんだよ。高校時代って、どんな下手な奴でも、一度はプロになりたいって必ず考えたと思う。みんなそんな夢を抱えながらサラリーマンになり、いつの間にかそんな夢を持っていたことさえ忘れてしまってる、そんな人間が大半だと思うんだよ」

「うん、俺もそう思う。今の俺たちのやってる事って、すっごい幸せなことだよなあ」

「だろ？　ハゲや白髪のオッサンのよ、忘れちまったような夢が五十過ぎていきなり叶って戸惑う気持ちはわかるけど、少なくともアマチュアでシコシコ楽しんでるバンドから見れば、考えられないほどラッキーなことだと思うぜ。プロになったなんて思う必要ないよ。思ったってこれ以上急に上手くなるわけじゃないし、アイツらあれでプロだってよって言われたっていいじゃないか。石田が勝手にやったことだよ。俺たちは素人だよって今まで通り楽しく演ってりゃいいんだよ。どうせいつまで続くかわからんバンドだし」

「ハハハ、そりゃそうだ。いつ脳がプッツンするか肝臓がイカレるかわからんメンバーばっかりだもんな」

飲んで喋って、みんなふっ切れたようだ。

ただ一つだけ、腕は上達しなくても、せめて衣装とステージマナーだけはプロらしくしようってことで落ち着いた。

今でも、どんな暑い日も長いステージも、必ずスーツスタイル。絶対にペットボトルなど置かない。ビートルズもスターＧＳも、ステージで水なんか飲まないから。

盲導犬との出会い

以前、市の福祉センターで視覚障がい者のカラオケ教室をやっていた関係で、生徒さんには目の不自由な人も多い。その一人の旦那さんが盲導犬ユーザーとなった。

今まであまり意識したこともなかったが、身近に盲導犬と接する機会が増え、また盲導犬育成にいかに費用がかかり、需要と供給のバランスが取れていないか、頻繁に話を聞くようになった。

俺の事務所にも募金箱を設置したが、いかんせん特定の人しか出入りしないので、まったく募金が増えない。各地の教室にも持参してお願いしたが、まさか毎回お願いするというわけにもいかない。

やはりミュージシャンの出来ることは、音楽を通じて募金を募るしかない。ＧＯＺ,ｓのメンバーに相談し、チャリティーコンサートをやろうと、すぐ話はまとまった。

元来俺はチャリティーという言葉が好きではなく、今までコンサートにチャリティーと銘打ったことはなかったが、あてにならない募金箱に頼るよりは手っ取り早い。

まず手始めは、デビューコンサートを飾った境港市民会館と決めた。

ただ、鳥取県内に七頭しか盲導犬がいない上に、境港市には一頭もいない。ほとんどの市民は盲導犬に出会ったことがない。

果たしてこのコンサートに理解を持って来てくれるのかどうか、一抹の不安はあった。

が、俺の生まれ育ったこの町の名物、境港市出身の偉大な漫画家、水木しげる先生の妖怪ブロンズ像が八十体（当時）も立ち並ぶ水木しげるロードが出来て以来、俺は「鬼太郎音頭」「ゲゲのふるさと」「妖怪サンバ」など書かせてもらい、鬼太郎音頭保存会とは常にタッグを組んでイベント成功につなげている。今回も保存会会長の名物おばさん荒木千重子さんに早速相談したところ、二つ返事でやろうやろうとなって決定。

鬼太郎音頭の踊りはもちろん、境港大漁太鼓、また境港文化振興財団のボランティアスタッフの協力を得て、俺の弟子の歌手も出演させて、大バラエティーショー風コンサートとなった。

ちょうどタイミングよく、ＮＨＫテレビで「盲導犬クィール」の連続ドラマが始まり、これも追い風となって二千円のチケットは順調に捌けていった。

コンサート当日は、大阪社会福祉法人・日本ライトハウスから盲導犬訓練士の菅さんにもお越し願い、実際に盲導犬訓練のデモンストレーションを舞台でやっていただいた。また鳥取で活動中の盲導犬アイビス君の出演、ユーザーの森山さんから市民の皆さんへの呼びかけもあり、満席の観客の皆さんは盲導犬の賢さを目の当たりにし、その必要性を十分理解していただくことができたと思う。

結局、何のことはない、このコンサートの一番の人気タレントは、GOZ'sでもない歌手でもない、二頭の盲導犬。

予想をはるかに超える募金が集まり、大成功に終わった。

今まで、チャリティーという言葉に拒否反応を示していた俺だったが、このコンサートの成功により、俺たちのバンドがやるべき方向性が見えてきたような気がした。

プロ、という響きにプレッシャーを感じていたメンバーも、自分のためでなく、盲導犬育成のほんの一端でも役に立てたことに喜びを実感したようだ。こういう活動を続けることこそ、GOZ'sに与えられた使命ではないかと、オーバーでなく素直にそう思えたようだ。

この盲導犬チャリティーコンサートは、八回連続で続けたが、その後さまざまなアクシデントにより、現在は休止中である。

第6章 自己破産、大病、そして復活

地獄の日々

GOZ's のコンサートやライブ活動は、メンバーも年代的に重要なポジションの仕事を持って、それぞれ忙しいこともあり、一時より回数は減らしたが、コンサートやライブは継続していた。

しかし、俺の本業である作曲家としての仕事は、歯車が合わず、低迷が続いていた。

カラオケ印税も、レーザーディスクから通信カラオケに代わっていったことにより激減し、東京でお世話になったプロデューサーや出版社ディレクターも次々と定年退職。演歌を切り捨てる外資系のレコード会社、また信頼関係の失墜によるマネージャーとの決別、バックアップしてくれた作詞家の先生の死去などなど、ことごとく仕事の空回り状態が続き、気が付いたら、俺の東京での人脈がほとんど無くなってしまっていた。

もともと経営能力のないお人好しの俺が、自分の音楽の稼ぎだけで運営してきた音楽事務所である。日々、運転資金を回すことばかり考えて苦しむ状態になっていた。

それに追い打ちをかけるように、信頼していたスタッフの思いもしない裏切り行為により、ついに、にっちもさっちもいかない状態に追い込まれてしまった。ここでは詳しくは触れないが、俺の周りの人間に、石田のためだと称して相当額の借金を重ね、そして事務所の金を無断で持ち出した挙げ句、連絡不能となってしまったのだ。

もうダメだ。完全に失意のどん底に落とされた俺は、死ぬことばかりを考えるようになっていた。

毎日浴びるように酒を飲んでは自殺の方法ばかりを考えていたが、人前では常に笑顔を絶やさず、明るい石田を演じていた。

しかしもう一人では解決出来ないと切羽詰まった俺は、幼なじみで現在の自宅を建てた建築屋のYに腹を割って打ち明けた。

すべてを聞き終えたYは、「石田、お前が死んで生命保険が出たとしても、これは終わる話じゃないぞ」と、知り合いのO弁護士を紹介してくれた。

O弁護士に相談して何日も資料を揃え、最善の方法を探したが、最終的に、自己破産しかないとの結論に達した。

弁護士から言い渡された結果を、身をずたずたに切り裂かれる思いで女房に伝えた俺は、もうすべてが終わった、と感じた。

だが、何もかも失ったと失意のどん底に落とされた俺たちを、O弁護士夫妻が、常に希望を失わないよう励まし続けてくれた。

「石田さん、あなたは有名人だから、おそらくこのことは人の噂話になることでしょう。でも、あなたは遊び惚けてこうなったわけじゃない。一生懸命仕事をした結果なってしまったことだから、恥じることはありません。恥じるのは、この苦しみから逃げ出すことです。逃げても何の解決もしません。勇気を持って、裁判所から免責が認められるまで頑張りましょう」

この励ましのおかげで、我々夫婦は現実を受け止め、冷静に煩雑な手続きを進めていくことが出来るようになった。

そんなある日、地元ケーブルテレビ局からカラオケ大会番組の審査委員長のオファーがあった。毎月一本の収録だが、ケーブルテレビだから一日何回も何日もオンエアされる。しかも、一年間のレギュラーである。周囲に迷惑をかけて破産手続き中の自分が、そんな仕事をしてもいいのか。

また弁護士に相談した。

「石田さん、派手な服を着て、明るい笑顔でテレビに出る、それがあなたの職業です。破産して人生が終わるわけじゃありません。仕事はしないといけないのです。いくら批判を浴びても、あなたはあなたの仕事をしてください。世の中には同じ苦しみを背負っている人が沢山います。

そんな人たちに、あなたが勇気を与えてください」

この言葉で俺の気持ちは決まった。

案ずるより産むが易し。開き直って仕事に向かうと、俺の破産手続きのことなど、それほど他人の関心事ではないことに気づいたし、第一直接俺に言う人間などいない。

テレビの収録中は、何もかも忘れて明るい自分を取り戻すことができた。

そして俺は後援会の役員に集まってもらい、事情を話して、もう皆さんの期待に応えることが出来ないので、後援会を解散して欲しいと申し出た。しかし、役員の皆さんは、

「石田先生のいい時だけチヤホヤして、逆境に立ったからといって逃げ出すような後援会なら、私たちが恥ずかしいことです。そんなことは自分から言い出さなくても、黙っていればいいことです」と言われ、そのまま自然体で継続されることになった。

手続きに二年近くかかったが、五十代最後に裁判所から免責が認められ、弁護士から、これであなたは破産者の名簿から消去されますよ、と言われた。

すべての責任が心から消えた訳ではないが、まず法的手続きは完了し、やっと地獄から這い上がれた、と思った。

還暦演歌歌手、そしてガンの宣告

自宅も売却され、手続き上弁護士の勧めにより別居した俺たち夫婦は、そのまま別居を継続することになり、俺は仕事場の楽器に囲まれた気楽な一人暮らしとなった。

さあ、いよいよ俺も還暦だ。これから心機一転、再スタートの年だ。たまたま、還暦を記念して、演歌のCDを出さない？という話が盛り上がり、じゃあ俺も還暦新人歌手で売り出そうかあ、と悪ノリして、こりゃあ正月早々縁起がいいわい、と話を進めた。話はとんとん拍子に進み、徳間ジャパンから全国発売も決定した。

「人生ほかけ船」「銀杏」

二曲とも俺と因縁の深い内容で、気持ちよくレコーディングも終了。あとは発売日を待つばかりと、二〇一〇年五月十二日発売日同日、記念パーティーのホテルも押さえた。

この年の春は、近年稀にみる好天続きで、各地に美しい桜が咲き乱れ、気分も上々、毎日あちこち一人で花見ドライブをしていた。

もともと、外で酒を飲むのが嫌いなので、桜を見るのはひとりで充分なのだ。

最後の花見は友人夫妻と、有名な津山市の城跡公園の桜を堪能して、地元の銘酒のにごり酒を買い込み、帰って居酒屋で鯨飲した。

さて、その翌日トイレに行くと、真っ赤な血尿が出た。それまでもたまにあったが、気にならない程度の薄さだった。しかし今回は違う。

ギョッとするほど百パーセント血液だ。

こりゃ大変だ。すぐ知り合いの内科に行くと、医師の口から即座に、膀胱ガンの疑いがあるから、明日にでも大きな病院の泌尿器科に行きなさい、という言葉を聞いた。

がん？　オレが？　エーッまさか。

その日は安来市での教室だったので、そのまま教室でレッスンをしたのだが、合間に行くトイレでも、一向に治まる気配がない。それどころか次第に濃くなって、チョコレートみたいな破片がブッブッと飛び出してくる。

生徒さんに、「俺、ガンになったみたい。明日検査してくるからね。まあ、検査しないとわからないけど」と、自分にも言い聞かせるように言うのだが、まだ実感がわかない。

翌日、米子医療センター泌尿器科へ。

俺の下腹部にエコーをあてた、と思ったらすぐ、「あ、あるある、でかいなあ」という医師の声。

オイオイ嬉しそうに言うなよ。

「石田さん見てください。見えるでしょ、あれがガンです。二センチあります」

恐怖におののく暇もない、あっという間のガン宣告であった。

「あとで手術の説明しますので、しばらくお待ちください」うぅー、そうかあ。

実は前日インターネットで、膀胱ガンの手術方法のいろいろを調べていたので、自分がどの方法に該当するのか、それが不安だ。

待合でいろんなことを考えたが、一番不安なのは膀胱全摘手術だ。これは絶対開腹手術だから、発売日には間に合わないなあ。記念パーティー延期したくないなあ。それより、腹切ったら歌えるかなあ…………。

「石田さんお入りください」

医師がこっちの不安を消すように淡々と言う。

「二センチのガンがありますので、尿道から電子メスを入れて切除する内視鏡手術をします。内視鏡手術出来るギリギリの大きさですね。但し、膀胱ガンの手術は転移は少ないけど、再発率五〇パーセントです」

五〇パーセント？　それ確率高すぎじゃん。

まあとにかく発売記念パーティーは延期したくなかったので、なるべく早くやってもらうことにした。

参ったなあ、一難去ってまた一難、今度はガンかよー。他人事だと思ってたのになあ。

とにかくこれは周囲に内緒には出来ない。

仕事のスケジュールを調整するのが大変だ。特に、テレビは穴を開けられないので、カラオケ大会年間決勝大会収録のあくる日入院することにした。しかも、収録の夜は友達のスナックの周年記念パーティーで、東京から歌手を入れてるし、俺も歌わなきゃいけない。

スナックのツーステージめ、最初に相談した内科医がやってきて、「あれ？　センセイ飲んでないね」「だって明日入院だもん」「明日手術するわけじゃないから大丈夫だよお」「じゃあ飲んじゃおうかなあ」なんてやりとりがあって、結局ゲストの歌手と一緒に三時ごろまで飲んで、翌日入院した。

初めてガンの宣言を受けて、周りは心配して大騒ぎだが、本人は意外とケロッとしてるもんだな、と実感した。

人間って、いざとなると開き直れるもんだな、と。まさか、これがこの後ずーっと続くことになろうとは思ってもいなかった。

繰り返す手術

内視鏡手術は無事終わり、ＣＤ発売記念パーティーも、周囲の延期したほうがいい、との声を押し切る形で、体力的な不安を気力でカバーして乗り切った。

ガンも治ったし、これでまた元の生活に戻り、ライブも続けられる、と思ったのもつかの間、定期検査でまた怪しい物が見つかった。医師から言われていた再発である。

また仕事のやりくりして二度目の内視鏡手術。二度目は最初よりも体のダメージが少なく、仕事にもすぐ復帰できた。

もう大丈夫だろうと思っていたら、今度は最初より質の悪いガンが発見された。カメラで表面に見えるガンでなく、内皮の中に出来たガンなので、目視できず、メスで切除が出来ないという。

なんと、医師の口から忘れていたようなBCGという言葉が出てきた。BCG？　昔懐かし結核の予防注射の名前だ。

このBCGを、尿道から膀胱に直接注入して、一時間待つ。その後容器に捨てて、また一週間後同様の治療を繰り返す。

つまり、膀胱の中でわざと炎症を起こして、ただれさせ、内皮ごと剥ぎ取ってしまう、という治療法だ。

これを繰り返すこと六週間。初めの一、二回はよかったが、三回四回と繰り返すうちにどんどんダメージが強くなってくる。尿道の痛みと、常に残尿感があり、十分おきにトイレに行きたくなる。これは辛い。

手術より治療期間も長く、これはまず仕事にならない。ならないが、仕事を休まず続けた。痛いのも辛いが、尿意が我慢できないために、あっと気が付いたら漏らしてしまう。これが何よりも情けなく辛い。

そのくせ相変わらず飲みに行くもんだから、飲み屋のトイレが空いてないと大変だ。オムツでも、と思うのだが、これがまた嫌なので何度も失敗した。

しかし、喉元過ぎればなんとやら。やがて時間が解決してくれて、そんなことは忘れてしまうほど完治した。さあ、これできれいさっぱりガン細胞はやっつけたぞ、と安心してライブスケジュールも入れた。

しかし、やはり治療を繰り返すごとに体力は低下し、ライブ会場の控室も、ホテルの場合は個室を取って休憩し、終わったらすぐ寝るように手配してもらっていた。

この、ガンの治療中も、日本作曲家協会の作曲コンテストは当然行われていたので、欠かさず応募を続けていた。

治療中に日本作曲家協会のソングコンテストグランプリ「鹿児島(かごんま)の恋」(歌・島津悦子)

日本著作家連合主催新作歌謡コンクールグランプリ「おばちゃん暖簾」(歌・京山幸枝若)

この二曲を受賞し、東京での授賞式にも出席することが出来た。

また、それぞれの歌手との発売記念ジョイントコンサートも、元気に開催することが出来た。なにせ、ガンの手術をするたびに、治った完治した、と思っているので、その間は旅行でもなんでも出来たのだ。

しかし、俺のガンはまことにしつこい奴だった。次々とトラブルを起こし、エーッまたかよ、という手術が繰り返し続いた。

もう、七回、八回となると、辛いというより、手術が面倒くさくなってきた。

医師の、「ウーン、これは手術しましょう」という言葉を聞いても、怖いというより、「またかよー、スケジュール調整が面倒くさいなあ」と、慣れきってしまった。

病院内でも、新人ナースに指導したりするベテラン患者。こんな事、いつまで繰り返すんだろう。

トラブルが起きるたびに、当然体調は悪くなり、そのための処置が必要になる。

徐々に悪い方向に向かっていた。

ついに十回目、医師から告げられたのは、膀胱全摘手術だった。

俺も、開腹手術は極力避けたいと思っていたが、もうそんなことは言ってられない。

「先生、手術後、何カ月でライブできるようになるでしょうか」

「そうだな、三カ月入院で、退院後二カ月で復帰できるでしょう」

鳥取県内ナンバーワンと言われる主治医、高橋先生の言葉を信じて、お任せすることにした。

また入院中、可愛い担当ナースからの、「石田さん、全摘手術したほうがいいですよ。もうこんなこと繰り返さなくてよくなりますよ」という激励の言葉も勇気が湧いた。

手術の三つの方法などの説明を受け、医師が一番お勧めすると言われる、膀胱全摘出、人口膀胱設置手術の方法に決めた。

十一時間、最後の大手術

従来のように、体外に膀胱替わりの袋をつけて、溜まった尿をトイレで捨てる、という方法でなく、自分自身の小腸を七〇センチほど使って人口膀胱を作り、体内に設置して、自然な排尿が出来るようにする、という説明を受けた。

手術の説明というのは毎回そうだが、起こりうる最悪の事態を説明されるので、手術慣れした俺も、さすがにこれは一番怖い。

普段は肝っ玉母さんの女房も、コワー!とビビッているが、まあとにかく、なるようになるさ。もう、まな板の上の鯉になるしかない。

綿密な術前検査の毎日、今までは嫌だった胃カメラ、大腸検査も、開き直ってしまえばどうってことなかった。なにせ、もっともっと大きな手術が待っているのだから。


手術の前日、担当ナースが、「私、明日非番なんだけど、心配だからご家族の皆さんと一緒に待たせてもらおうと思って先生に聞いたら、手術室に入っていいと言われましたあ」と嬉しそうに伝えにきてくれた。そして、小さなメモを渡してくれたが、そこには、「石田さん、私も一緒に頑張るから、頑張ってくださいね。」と丸文字で書いてあった。

こんな優しさが、患者には沁みるんだよなあ。

短時間の手術も長時間の大手術も、患者にとっては同じこと、麻酔が効くまで五つ数えたことがない。あっという間に意識不明である。

目が覚めたらＩＣＵのベッドの上で身動き出来ない。体中管が刺さって天井しか見ることが出来ない。これが今までと全く違う。

意識朦朧、首筋や背中から痛み止めの薬を入れているので痛くはないが、とにかく幻覚症状がひどい。天井の模様がもぞもぞと動く不気味な虫になって襲いかかってくる。これが一番いやだ。

多分医師や家族たちが話しかけてくれたのだろうが、そこは記憶がない。とにかく幻覚がいやでいやでたまらなかったことしか覚えていない。

二日後だったと思うが、ICUから個室に移ったときの嬉しさはハッキリ覚えている。

そこから、長い長い闘いが始まった。

が、人間は不思議なもので、痛い、苦しい、辛いといった、ネガティブなことはきれいに忘れるように出来ているらしい。

自分に起きているすべてのことを、面白い経験として捉えるようになってきた。

個室に代わって二日目かな、「石田さん、レントゲンに行きます」と言われて、え、どうやって？　この管はどうするの？　そもそも俺の体には何本管が刺さっているんだよ。

「八本です」

「八本って、それは普通そんなもんなの？」

「いえ、私は初めての経験です」

「へえー、じゃあレントゲン終わったら、記念写真撮ろうよ」

「あ、いいですね！　撮りましょう」ってナースも面白がっている。

車いすに管やら袋やらぎゅうぎゅう詰めてレントゲン室に行き、部屋に帰って、さあ写真撮ろう、と思ったら、医師が駆け込んできて、「石田さん、二本抜きます」ってさっさと抜かれてしまった。あーあ。

ナースと目を見合わせて、六本は？と聞いたら、六本は経験あります、というので、じゃあ面白くないねって撮影は中止。

自分もそうだったが、ガン患者と聞くと、周囲はすごく気を遣って、見舞いに行くのを躊躇するが、本人は意外とあっけらかんとしているものだ。俺だけかな？

入院中、常に考えていたのは、退院して回復したあとのセルフプロデュースのことばかりだった。何度も入院を繰り返す間に、「石田光輝再起不能説」が巷のもっぱらの噂だと聞いていたので、それならそれで噂が広がってくれたほうがありがたい。その分復活したときのニュース性が大きくなっていい、と思っていた。

常に頭の中は、石田光輝の復活新聞記事やテレビインタビューのイメージばかりを膨らませていた。

ただ、まだ体力がゼロの間にスタートした抗ガン剤治療には閉口した。

体力を付けるためにはなんとか食べなきゃ、とは思うのだが、お粥一口も食べられない。

元々血管が細くて注射が難しいので、抗ガン剤の針を刺すところから難儀する。

普通の点滴と違って、漏れるとその部分が壊死してしまうので、確実に刺さないといけないし、これがまた薬の種類によっては血管が痛いのだ。

ときには、四、五人のナースが入れ替わりチャレンジして、やっと入ったら、ナースが上から「大丈夫？　大丈夫？」と覗き込んでいるので、「おい、臨終の家族か！」って笑ったり、ナースみんなにも苦労かけたなあ。

思い出せばきりがない三カ月の入院だったが、あとは通院による抗癌剤治療を残してめでたく退院となった。

その後、ちょっとした補足的な手術で五日ほど入院したが、その手術を合わせて、なんと四年間で、化学療法以外に十一回の手術をしたことになる。

■境港市観光協会会長

話は遡って、俺が経済面での地獄から這い上がろうとあえいでいる時期、境港市観光協会協会の桝田知身会長から声がかかった。

水木しげるロード発展に大きな功績を上げた、非常に仕事に厳しい会長であると、噂は耳にしていたが、お会いするのは初めてだった。事務局の加藤敏夫さんが古い知己であるところから、俺に依頼があるということで、スナックでの初対面となった。

世間の噂では、怖い人、というイメージがあったので若干緊張したが、お互い酒好き同士、すぐに打ち解けた。

ジャズ好きで有名だったが、ジャンルに拘りなく、いいものはいい、という歌好きで、芸術に対する高い理解を持った人だ。

境港市というより、弓ヶ浜をテーマにした歌謡曲を制作したい、という相談だった。

会長は元々広島県の人で、弓ヶ浜の美しさに感動され、ずっと考えていたそうだが、地元の人間はその美しさ素晴らしさに気付いていない、こんな素晴らしい半島は日本一であり、もっとアピールすべきだと力説された。

俺も認識を新たにし、タイトルも会長の発案通り、「弓ヶ浜ブルース」というムード歌謡を作曲し、歌い手も手っ取り早く石田光輝が歌うことになった。

境港市観光協会内に「妖怪レーベル」を設けたのも、会長らしいアイディアである。

それ以来、初対面とは思えないほど可愛がってくださり、周囲にも、「石田先生のような才能を地元がもっと育てなくてはいかん」と言われていると耳にした。

ガンになってからも、身内のように本気で心配して、忙しい中を何度も何度も見舞いに足を運んでくださった。

だから、闘病中に二回の作曲賞をいただいたときの喜び方も、それは半端じゃなかった。

いつしか俺の中で、会長に喜んでもらうために賞を狙う、という気持ちが生まれてきたほどである。

さて、退院後は自宅療養を続けていた。体力回復ももちろんだが、問題は、声が出なくなってしまったことだ。声帯は筋肉なので、運動しなければ当然衰える。唯一の運動であるウォーキングも、まだ抗ガン剤治療中のため、呼吸困難で、五分歩くと帰りが不安になる始末だ。

桝田会長は、体力つけろと、激辛カレーや元気の出る映画「仁義なき戦い」などを差し入れしてくれるし、友人夫妻も三橋美智也、春日八郎の歌謡ショーDVDなどを持って来てくれた。普段歌ったことのない三橋美智也の歌を、一緒に大声で無理やり歌い続けていると、次第に高音だけは出るようになってきた。でも、中域から低音の響きは相変わらずスカスカで、全く出ない。

でも、ライブで歌うことだけを目標に、ひたすら目いっぱいの大声で歌い続けた。

そして復活

なかなか十分以上歩くことが出来ない毎日を送っていたが、友人夫妻が、栄養を付けなきゃと、うなぎ屋に誘ってくれた。

体慣らしのために自分で運転して、自宅から一時間ぐらいのうなぎ屋で食べた。とても穏やかな天候だったので、近くの鳥たちの公園に行った。園内はエスカレーターもあるし、ゆっくり歩けばなんとかなるね、と三十分ほど時間を過ごした。

帰路について湖畔の喫茶店でコーヒーを飲んだら、これがメチャクチャ美味い。抗ガン剤が終わって二週間ぐらい経っており、味覚はまだいまいちだったのだが、とにかくコーヒーが美味い。

そしてあくる日の朝、また不安感を抱きながら歩き始めた。

あれ？　歩ける。息が苦しくない。足が軽く前に出る。歩ける、歩ける、歩けるぞ、と口に出しながら歩く。辛くない。歩ける。

口にしながら涙がボロボロあふれ出した。

歩ける、ただ歩ける、そんなことがこんなにも嬉しいなんて。ただただ歩き続けた。

今までのウォーキングと同じ距離を歩いても苦しくない。そうか、抗ガン剤が切れた、すべて体から抜けたのだ、と気づいた。

ウナギのおかげかどうかはわからないが、昨日のコーヒーを飲んだ時点で消えたのだ、と思った。抗ガン剤がそういう形で突然抜けるものかどうかは知らなかったが、そうとしか思えない。

のちに、病院で抗ガン剤担当の看護師に聞いたら、「あ、そういう切れ方すると患者さんから聞いたことがあります。急に楽になるそうですねえ」と答えてくれた。

これで一気にやる気が起きた。

もう考えている場合じゃない、とにかくライブで三十曲歌える声を作らなきゃ。

叫ぶように強引なトレーニングを始めた。

俺は作曲家になりたかったんじゃない。子供の時から歌手になりたかったんだ。歌えない俺なんか俺じゃない。声の出ない石田光輝なんか、なんの価値もない。

もう二度も続けて地獄から這い上がってきたんだ、もう俺には歌うことしかないんだ。

少しずつではあれ、声を取り戻してきたが、なにか違和感がある。なんだろう。

あ、そうか、声がきれいになっている。これは変だぞ。長期間タバコもやめたしなあ。

まあ、そのうちまた石田らしいだみ声に戻るだろう、とにかく出せ、出せ出せ。

そして、ついに復活ライブの日がきた。

抗ガン剤が切れてから二カ月、クリスマスライブを再起動ライブとした。

演奏メニューを、以前と同じ曲数にした。

メンバーは、減らしたらどうか、と言ってくれたが、俺としては自分の限界が知りたかった。

もし倒れたらそれが限界だ。

ライブハウスのオヤジも、「なんだ石田くん元気じゃん。病み上がりライブだっていうから、オイオイ勘弁してくれよ、ゲッソリやつれた顔なんか見たくないと思ってたよ」なんて言う。

じゃかましい！　完全に復活した演奏を聴かせてやるから黙って聴いてろ！

いつも通り満席の客席。ただ違うのは客の表情。いつものワクワク感がなく、全員が不安そうな顔でジッと見ている。

さあ、ワンステージが始まった。いつもと同じ演奏だ。ちょっと違うのは俺の声が妙にきれいなだけだ。一時間終了。いけそうだ。

そしてツーステージ。客の顔が言っている。もういいよ、それぐらいにしといたらって。倒れるまでやってやる、そんな意地で歌い続けた。ラストナンバー、不安そうな客席からはアンコールがこない。なくても予定通りアンコール曲を演奏して無事終了だ。

客の送り出しをして、座った途端、立てなくなった。全身に力が入らない。

ビールを飲むどころじゃない。用意していた近くのホテルにヨロヨロと帰り、ベッドに倒れ込んだ。そうか、これが限界ということか。

それなら次もこの曲数で出来るな。

年明けて二度目のライブ。今度はホテルに帰る途中、ガタガタ震えがきて、熱が出たが、バファリンを飲んで寝たら治った。

そして三度目、今度は終わってからビールが欲しくなって、メンバーと久しぶりに少し飲んだ。いいぞいいぞ。一回ごとに体力が戻ってきたことが実感できる。

これで完全復活だ。自信を持とう。

SHOWA66誕生

徐々に体力も戻り、レギュラーの仕事もこなせるようになってきた。

ただ、作曲家としての自分の将来は不安だらけだった。ガン手術もとりあえずは成功したものの、後遺症や感染症などもあり、まだ完治とは言い難い。

酒は医師からOKが出ていたので、前ほどではないが、飲めるようになった。

ずーっと熱心なGOZ'sファンで、ライブも必ず十人ぐらいのお客さんと来てくれる建築屋のHさんと、久しぶりに居酒屋の個室で乾杯した。その時の話である。

「Hさん、おかげさまでライブもできる体力がついたし、こうやって一緒に飲めるようになったよ。心配かけたねえ」

「いやあ先生、ホントに良かったです。見舞いに行くのもためらってたら町で奥さんと出会って、先生どうですか?って聞いたら、イヤーすっかりガン患者よーって言われて、ますます行けなくなって、先生から来てもいいよーって電話もらったときは、ホントに嬉しかったですよ」

「ハハハ、女房は冗談めかして言う奴だから。いつでも俺はOKだったけどね」

「まあとにかく良かったです。乾杯しましょう。カンパーイ、おめでとうございます」

「ありがとうございます。まあ乾杯はいいんだけど、正直言ってこれからの生き方を考えてい てねえ。まあ、昔考えたように、小さな店でぼちぼちとお客さんに俺の歌でも聴いてもらえたら」

「やりましょう、先生。作りましょう、先生の思った通りの店を」

「いや、やりましょう、て言われても」

「何坪必要ですか、場所はどのあたりがいいですか。それでも先生のファンが来るとなると、三十坪は要りますよねえ。やりましょうやりましょう。イヤー自分に相談してくれて嬉しいですよ。やりましょう、いい店を作りましょう」

「いやまあ、突然の話で……」

「いい話だ。お祝いだ。もう一軒行きましょう」

なんだかわからず盛り上がってきた。

次の店でもHさんは、先生の店を作るんだよー、と超ゴキゲンである。

俺の頭の中は「???」が渦巻いて、まだ喜んでいいのか複雑な気持ちだ。

酔いが醒めてあくる日、Hさんの真意を確かめるべく、自宅を訪ねた。

俺が切り出す前にHさんは、

「で、どうします? 場所は不動産屋に聞きますか。それとも心当たりがありますか」

やはりこれは真面目な話だ。

俺としてはこじんまりとした店を想定していたのだが、

「やっぱりやる以上はGOZ's のライブもやれる店がいいですよねぇ」

「エーッ、それは大ごとだよお。爆音だから周囲のこともあって場所設定が難しいし、第一すごい家賃になるよなあ」

などなど、何度か話し合いするうちに、Hさんから、いい場所が見つかった、と連絡があって、現場を見に行った。

大型焼肉店の二階で、今まで貸しオフィスとして使っていたので、いくつかのフロアに仕切ってあった。

一番広いフロアを見て、これで充分かな、と話していたのだが、Hさんは、「いや、控室も必要だし、カウンターの水回りの問題もあるし、トイレはもちろん男女別が必要だし、この壁も取りましょう、あ、ここも取ってしまおう……」などと言い出して、ついに全フロア使いましょう、というどデカい話になってきた。

とにかく先生の思い通りの店を作るから、何でも希望を出してくださいとのこと。

結局、あれよあれよと工事は進み、山陰、いや中国地方でも一番広いのではないかと思われる、店舗面積七十坪のライブハウスが出来上がった。

店内も、ゆったりとしたボックス席に加え、後部座席は一段高いひな壇を作り、どの席からもステージがよく見えるようにした。

俺やGOZ'sのファン層は当然中高年なので、落ち着いた色合いの明るい店内装飾を心がけた。

「先生の店です。先生の思った通りに使ってください。そして音楽生活の集大成をこの店で過ごして下さい。私は作っただけで口は出しません。私はあくまでもファンのひとりです」

神輿は、上に乗るよりも担ぎ手のほうが大変だ、という言葉がある。Hさんに感謝の言葉は言い尽くせないが、ここまで来たら、有難く神輿に乗せてもらおうと、心を決めた。

昭和生まれの昭和の音楽を愛する俺たちの店、という思いを込めて、六十六歳の再出発にふさわしく「SHOWA66」という店名で、二〇一六年四月一日、俺の誕生日に開店した。

俺が入院中にいつも考えていた通り、各新聞社は「ガンを乗り越えてライブ復活」という内容の記事をデカデカと掲載してくれたし、何よりも熱心なＧＯＺ’ｓファンたちが心から喜んでくれた。

このＳＨＯＷＡ66が音楽の拠点となったことで、このステージに立ちたい、と思う若い音楽家たちとの交流も増えていった。

店内には、これまでに受賞した作曲賞の賞状も全部展示し、それを見ることによって、また賞状を増やしたい、という意欲にもつながった。

そして二〇一八年、日本作曲家協会の作曲コンテストにおいて、会員最多受賞となる、「ちゃんちき小町（川中美幸）」という作品で六回目の受賞を果たした。

地方で活動を続ける作曲家として、応援してくださるファンへのお返しは、こういう形でしか出来ないと思っている。

そしてオープン以来、毎月一回の定期ライブは一度も休まず、毎回満席のお客様の声援を受けている。風邪をひいたとか、声の調子が悪い、などと言ったことは一度もない。相変わらず体力の限界まで歌い続けている。

チケット販売の苦労もしたことがない。とにかくリピーターのお客様でいっぱいになるのだ。まさに感謝感謝である。

エピローグ

あの頃のままに

一度だけの再結成のつもりで集まったバンドが、流されるままCDを出し、カラオケにまで配信され、コンサートやライブを続けて、なんと、二十年の月日が流れた。

インタビューで、「いつまで続けますか」の質問に、「とりあえず還暦かなあ」と答えていた俺たちは、全員古希を過ぎた。

活動を再開してから、大ホールコンサートはもちろん、四十人しか入れない小さなライブハウス、ホテルでのディナーショー、屋外イベントなど、依頼を受けた仕事は時間が許す限り何でも受けてきた。

四〇度を超える熱射地獄の真夏の屋外焼肉パーティーも、ろくな音響設備のない会場でも、ギターを持ち、ドラムを叩き、汗みどろで歌うそのたびに、俺たちは高校生にかえる。

あの、ザ・スカッシュメン解散記念で行った隠岐の島からも声がかかり、真夏のイベントに出演した。暑かったなあ。

大阪のライブハウスに出演するたびファンが増えて、本当は早く終わってバスの中で打ち上げしながら帰りたいのだが、出演順がトリでないと客が帰るからと、主催者から懇願されたこともある。大阪のお客さん楽しいねえ。

何年活動してもレパートリーは相変わらず同じだが、若いシンガーにオールドポップスやGSを覚えさせて演ることも増えた。若いシンガーにはとても新鮮に聴こえるようだ。

そりゃそうだ、昭和歌謡は名曲ばかりだからね。

もうGOZ'sのオリジナルは作らないつもりだったが、なんだかんだ増えてミニアルバムも作ったなあ。

「来年のイベント出演して下さいよ」と依頼があっても、そんな先のこと俺たちにもわからんよ、と答えるのだが、これは半分以上本心。

二〇一九年四月、米子市公会堂で「作曲家生活四十周年」と、「GOZ's再結成二十周年」記念コンサートを開いた。俺たちとしては、最後のホールコンサートのつもりだったが、今年二〇二〇年でなくてよかった。

思いもしないコロナ騒ぎで、活動自粛せざるを得ない状況になり、四月だけライブを中止した。その後、自粛解除と、米子市内ほとんど感染者ゼロ、という中で五月三十一日には再開したが、これも田舎ならではだ。

鳥取県境港市で生まれ育った俺たちが、下手くそバンドなりに皆さんに支えられ、二十年も続けてこれたのも、田舎なればこそ。


ひょんなことからスタートしたバンド、全員そろって「飽きたなあ」と言い出すまで肩の力を抜いて続けるとするか。

どうせグルーっと遠回りしてたどり着いた高校生バンド。ヨボヨボになっても、

「あのこーろのーままにいー」

なんて歌っていることだろう。

あの頃のままに　あの頃のままに
スマーイル　アーゲェーイン……

命さえあれば

七十年の自分の人生が、紆余曲折だったのか、波瀾万丈だったのか、過ぎてしまえばよくわ

からない。

誰にでも悲しみや苦しみはあるだろうし、その形は違っても、みんなそれを乗り越えて生きているのだと思う。

ただ、四人兄弟の末っ子、三人の姉の下で甘やかされて育った自分が、こんなしぶとい奴だったとは、今更ながら不思議な気がする。

有頂天になるほど昇ったと思えば、ドーンとどん底に落とされ、這い上がったと思えばまた地獄の繰り返し。

ジェットコースターのような人生だったが、私にとって最もハッピーなことは、必ずそのたびに、地獄に仏が現れたことだ。

本当に私は人様に助けられて生きてきた。そして、家族に支えられて生きてきた。

何が起きても周りの人たちは私を見捨てなかった。それどころか一層救いの手を差し伸べてくれた。

中でも、高校生バンドのメンバーに再会して活動を続けられたことが、最も大きな自分の支えになったと思う。

あのまま作曲家として歩いてきたら、多分今の私はなかっただろう。弟子や周りに「先生、先生」と持ち上げられ、鼻持ちならない裸の王様になっていたに違いない。

私のことを、「オマエ」「石田」と呼び捨てにする仲間に会って、裃を脱ぎ捨てて、素の石田光輝に戻れたからこそ、周りの人たちが私を見捨てなかったのだろうと思う。

そして、命というものと真剣に向き合ったガン闘病の経験にも、感謝している。

すべて、起きたことが現実、命さえあれば何でも出来ると、達観じみた考え方も出来るようになった。

一切の仕事がキャンセルされたコロナ騒ぎも、自分だけに起きたことじゃない、みんなが苦しんでいるんだ、命さえあれば、必ず元の暮らしに戻れる、と信じている。

何歳になっても何があっても、エレキを抱いて歌っていれば、すぐに高校時代に戻れる、そんなガキっぽい男でいい。

遠回りしたけれど、俺は一生現役のエレキ小僧でいたい。

そして、今まで私を支えてくれた人たちと俺たちを見守ってくれるふるさとに今、感謝の気持ちをお返しできるのは音楽しかない。

自分の能力のある限り、音楽を通して恩返しをしたいと思っている。

完

小さな今井大賞とは

今井書店グループ今井印刷㈱が運営する、本づくりとクリエイティブの地域コミュニティ「小さな今井」が、二〇二〇年に新人クリエイターの発掘と、デジタル化の時代に紙の良さを発信したい目的に創設したのが「小さな今井大賞」です。小説大賞部門、U‐30短編部門、写真集部門をもうけ、全国に向けて募集したところ、予想を超える数の応募をいただきました。この作品は、第一回の「小さな今井大賞」特別賞受賞作です。

私たちは、これからも山陰の地から、時代に合った文化の創造・発信に努めてまいります。

小さな今井店長　古磯　宏樹

「あの頃のままに」選評

作曲家・歌手・バンドマンである作者の自伝小説です。山あり谷ありの波乱万丈な人生が軽快なタッチで語られていて、ぐいぐい読ませる魅力がありました。地方にいながら東京の最前線と互角の勝負を挑もうと奮闘する姿は、地方在住の創作者・クリエイターにとって、刺激と励みを与えてくれるでしょう。五十歳を過ぎて、高校時代のバンドを再結成し、「これが自分のやりたいことだったんだ」と思うところは、物語的でもありました。昭和世代には懐かしい歌手やバンド名も登場し、芸能史のような部分もあります。

フィクションではないため、大賞の候補とすることはできませんでしたが、作品の面白さ、また作者・石田光輝さんのこれまでの活動を多くの方に知ってもらいたいという思いから、特別賞を贈ることにしました。

小さな今井大賞 審査員　松本　薫

著者略歴

石田　光輝／作曲家・歌手

■1950年　鳥取県境港市生まれ　米子市在住

■代表作　秋津島（鳥羽一郎）、長良の萬サ（石川さゆり）、ちゃんちき小町（川中美幸）など、日本作曲家協会等が主催する作曲コンテストで６度の最優秀作曲賞を受賞。ベテランから新人まで多数の歌手に作曲している。
また、自身も歌手として多数のオリジナル曲をリリースしている。

■2000年　50歳を機に高校時代のメンバーとバンドを再結成し「あの頃のままに」「いつか見た青い空」のCDをリリース。以来20年を超える現在も、生涯現役バンドマンをモットーに、ライブ活動を続けている。

あの頃のままに
～遠回りしたエレキ小僧～

2021年４月１日　初版第１刷

著者　石田光輝

発行　今井印刷株式会社

発売　小さな今井

印刷　今井印刷株式会社

ISBN 978-4-86611-236-7